Дневник
фокса Микки

По повести Саши Чёрного

Санкт-Петербург
«Златоуст»

2011

УДК 811.161.1

Дневник фокса Микки. По повести Саши Чёрного / подг. текста и заданий Н.А. Костюк. — СПб. : Златоуст, 2011. — 112 с.

Micky, the fox terrier's diary. Adapted from the novel of Sasha Cherniy / adapted text, exercises by N.A. Kostyuk. — St. Petersburg : Zlatoust, 2011. — 112 p.

Зав. редакцией: *А.В. Голубева*
Редактор: *О.С. Капполь*
Вёрстка: *Л.О. Пащук*
Иллюстрации: *Л.В. Макарова*
Обложка: *ООО РИФ «Д'АРТ»*

Адаптированный текст повести известного русского писателя начала XX века Саши Чёрного предназначен для иностранцев, владеющих русским языком на уровне B1 (2300 слов). Книгу можно использовать при самостоятельной работе или во время занятий с преподавателем. Книга также может служить в качестве рабочей тетради. Ударения, иллюстрации, задания.

ISBN 978-5-86547-544-6

Подготовка оригинал-макета — издательство «Златоуст».

Подписано в печать 06.10.2010. Формат 60×90/8. Печ. л. 14. Печать офсетная. Тираж 3000 экз.

Санитарно-эпидемиологическое заключение на продукцию издательства Государственной СЭС РФ № 78.01.07.953.П.011312.06.10 от 30.06.2010 г.

Издательство «Златоуст»: 197101, Санкт-Петербург, Каменноостровский пр., д. 24, оф. 24.

Тел.: (+7-812) 346-06-68, факс: (+7-812) 703-11-79, e-mail: sales@zlat.spb.ru, http://www.zlat.spb.ru.

Отпечатано в Китае.
C&C Joint Printing Co. (Beijing), Ltd.

САША ЧЁРНЫЙ
(1880−1932)

Настоящее имя писателя — Александр Гликберг. Он родился в Одессе 13 октября 1880 года. В семье было пятеро детей, причем двух братьев звали одинаково — Саша. Один был блондином, второй — брюнетом, поэтому дома их называли Саша Белый и Саша Чёрный.

Писателю Александру Гликбергу не пришлось придумывать псевдоним, он просто подписывался своим детским именем и стал известен читателям как Саша Чёрный. В душе он всегда оставался ребёнком. Все, кто знал Сашу Чёрного, говорили, что он был невероятно добрым, тактичным и мягким по характеру человеком. Писатель работал в «Сатириконе», одном из самых известных журналов того времени. Каждую неделю Саша Чёрный печатал в этом журнале свои произведения.

В 1927 году была опубликована повесть «Дневник фокса Микки». Именно так звали фокстерьера, который жил в доме писателя. Благодаря этому псу и появилась книга, которую читают уже многие поколения детей и взрослых. Как и герой книги, фокстерьер был очень привязан к хозяину и, вероятно, мог бы сказать ему: «Я не могу без тебя жить!» Когда 5 августа 1932 года Саша Чёрный неожиданно умер от сердечного приступа, фокстерьер лёг на грудь своего мёртвого хозяина и скончался от разрыва сердца, хотя до этого был абсолютно здоров.

Часть 1
О ЗИ́НЕ И О ЕДЕ́

Я хоро́ший пёс. Зову́т меня́ фокс Ми́кки. Фокс — э́то поро́да така́я. Моя́ хозя́йка Зи́на бо́льше похо́жа на фо́кса, чем на де́вочку: она́ пры́гает, как я, и грызёт са́хар, совсе́м как соба́ка. Хо́дит она́ всегда́ в де́вочкиных пла́тьях.

Вчера́ она́ начала́ хва́статься: «Ви́дишь, Ми́кки, ско́лько у меня́ тетра́док: по арифме́тике, по письму́, по чте́нию. А вот ты, щено́к несча́стный, ни говори́ть, ни писа́ть не уме́ешь».

Гав! Я уме́ю ду́мать — э́то са́мое гла́вное. Чита́ть я то́же немно́го уме́ю: де́тские кни́ги с са́мыми больши́ми бу́квами. Я да́же писа́ть научи́лся. Сам. Беру́ каранда́ш в рот, ста́влю ла́пу на тетра́дку и пишу́.

***

Здесь у меня́ три звёздочки. Я ви́дел в де́тских кни́жках, когда́ челове́к перехо́дит к но́вой мы́сли, он ста́вит три звёздочки.

пёс — dog	
поро́да — breed	
грызть/погры́зть *что?* (грызу́, грызёшь) — to gnaw	
хва́статься — to boast of	
щено́к — puppy	
звёздочка — asterisk	

Что важне́е всего́ в жи́зни? Еда́. И не на́до притворя́ться! У нас по́лный дом люде́й. Они́ разгова́ривают, чита́ют, пла́чут, смею́тся, а пото́м садя́тся за стол. Едя́т у́тром, едя́т в по́лдень, едя́т ве́чером. А Зи́на ест да́же но́чью: пря́чет под поду́шку пече́нье и ти́хо ест.

Как мно́го они́ едя́т! Как до́лго они́ едя́т! Как ча́сто они́ едя́т! И ещё говоря́т, что я обжо́ра... Даю́т то́лько ко́сточку от котле́т-ки, налива́ют полблю́дца молока́ — и всё. Ра́зве я прошу́ ещё, как Зи́на и други́е де́ти? Ра́зве я ем сла́дкое — холо́дный у́жас, кото́рый они́ называ́ют моро́женым?

Я делика́тный поро́дистый фокс. Я грызу́ ко́сточку, из рук Зи́ны осторо́жно беру́ бискви́т, пото́м ем его́ — и всё.

Но они́... Заче́м э́ти супы́? Ра́зве не вкусне́е чи́стая вода́? Заче́м вообще́ вари́ть и жа́рить? Неда́вно я попро́бовал кусо́чек сыро́го мя́са, когда́ он упа́л на ку́хне на пол. Мо́жете мне пове́-рить, оно́ бы́ло гора́здо вкусне́е котле́т...

И как бы́ло бы хорошо́, е́сли бы не вари́ли и не жа́рили!

Е́ли бы все на полу́, без посу́ды. Так мне бы́ло бы веселе́й, чем сиде́ть под столо́м, среди́ чужи́х ног. Или ещё лу́чше: е́ли бы на траве́ пе́ред до́мом. Ка́ждому бы да́ли по сыро́й котле́тке. А по́сле обе́да все бы игра́ли со мной, как Зи́на.

притворя́ться (НСВ) — to pretend

пря́тать/спря́тать (что? наст. вр.: я пря́чу, ты пря́чешь) — to hide

обжо́ра (он, она́) — glutton
кость (ко́сточка) — bone (small bone)
налива́ть/нали́ть (что?) — to pour

Ра́зве? — Isn't (it so)?
вари́ть (НСВ, что?) — to boil
жа́рить (НСВ, что?) — to fry
сыро́й — raw
гора́здо — much, far

Меня́ называ́ют обжо́рой, а са́ми... По́сле су́па, по́сле жа́р-кого, по́сле сы́ра они́ ещё пьют кра́сное вино́, жёлтое пи́во и чёрный ко́фе. Заче́м? Я зева́ю под столо́м до слёз, а они́ всё сидя́т, сидя́т, сидя́т... И говоря́т, говоря́т, говоря́т, как бу́дто у ка́ждого граммофо́н в животе́.

(*что?*) жарко́е — stew

зева́ть (НСВ) — to yawn
как бу́дто — as if
граммофо́н — gramophone

***

Три звёздочки.

Но́вая мысль. На́ша коро́ва — ду́ра. Почему́ она́ даёт сто́ль-ко молока́? У неё оди́н сын — телёнок, а она́ ко́рмит весь дом. Что́бы дава́ть сто́лько молока́, она́ весь день ест, ест свою́ траву́, да́же смотре́ть жа́лко. Почему́ ло́шадь не даёт сто́лько молока́? Почему́ ко́шка ко́рмит то́лько свои́х котя́т и бо́льше ни о ком не забо́тится?

И ещё. Почему́ ку́ры несу́т сто́лько яи́ц? Э́то ужа́сно. Они́ никогда́ не веселя́тся и не пою́т, как други́е пти́цы. Э́то всё из-за яи́ц.

Хорошо́ всё-таки быть фо́ксом: я не ем су́па, не игра́ю на фортепиа́но, как Зи́на, и не даю́ молока́, как на́ша коро́ва, и тому́ подо́бное, как говори́т Зи́нин па́па.

Ой! Каранда́ш слома́лся. На́до бежа́ть в кабине́т, взять дру-го́й.

сто́лько — so much
телёнок — calf
корми́ть (НСВ, *кого?*) — to feed

котёнок (мн. ч. котя́та) — kitten

забо́титься (НСВ, *о ком?*) — to take care of
ку́ры (мн. ч.) — hen
из-за (*чего?*) — because of

тому́ подо́бное — et cetera

ЛЕКСИКО-ГРАММАТИЧЕСКИЕ УПРАЖНЕНИЯ

1. Какие глаголы пропущены? Глаголы можно использовать несколько раз.

> **давать/дать** (*что? кому?*)
> **класть/положить** (*что? куда?*)
> **наливать/налить** (*что? куда?*) — to pour
> **кормить/накормить** (*кого?*) — to feed

1. Хозяйка _____ собаку два раза в день. Обычно на обед она _____ собаке мясо, но не всегда. Может просто _____ в блюдце каши или _____ немного супа.

2. — Что тебе _____, чай или сок? А сколько кусочков сахара _____ в чай?

3. Маленьких детей нужно _____ три-четыре раза в день. Мама _____ ребёнка, и теперь он спит.

4. По правилам этикета за столом вино в бокалы _____ мужчина.

5. Нельзя _____ детям сладкое перед обедом, иначе они не будут есть.

6. Коктейль готовится так: сначала нужно _____ в бокал немного мартини, затем апельсиновый или любой другой сок. Потом надо _____ в бокал несколько кубиков льда. Обычно _____ три-четыре — кому как нравится.

> **варить/сварить** (*что?*) — to boil
> **жарить/поджарить** (*что?*) — to fry
> **есть/съесть** (*что?*)

1. На ужин у нас будет жареное мясо. Мама обычно _____ его с луком и морковью. Мы всегда _____ его с удовольствием.

2. Чтобы приготовить бульон, нужно _____ мясо полтора-два часа.

3. — Не надо притворяться, что ты совсем не умеешь готовить! _____ картошку или _____ яичницу может каждый.

4. Когда я приеду домой на каникулы, бабушка обязательно _____ мой любимый луковый суп. Я _____ одну тарелку и попрошу ещё, потому что вкусно.

5. В России пельмени _____, а в Китае варёные пельмени могут ещё и _____, чтобы было вкуснее.

> **есть/съесть** (*что?*)
> **пить/выпить** (*что?*)
> **грызть/погрызть** (*что?*) — to gnaw

1. Раньше русские всегда _____ чай из самовара. Теперь чай из самовара _____ редко, предпочитают электрочайники.

2. Папа-пёс нашёл в саду косточку и дал её щенку _____. Для щенка косточка гораздо вкуснее, чем для ребёнка мороженое.

3. Если у человека высокая температура, врачи не разрешают ему _____ крепкий кофе или чай. Больной сразу почувствует себя лучше, если _____ молока с мёдом.

4. В зоопарке дети наблюдают, как зайцы _____ морковку и капусту.

7

2. **А) Какое слово или словосочетание лишнее?**

1) суп, жаркое, каша, витамины, котлета
2) печенье, шоколад, яблоко, торт, конфеты, мороженое
3) арифметика, письмо, чтение, упражнение, география, история
4) котёнок, щенок, звонок, телёнок, тигрёнок
5) ем, пью, сижу, грызу
6) варю, жарю, готовлю, прошу, пеку, мариную
7) прыгаю, плаваю, бегаю, спешу, лазаю
8) зеваю, улыбаюсь, планирую, плачу, смеюсь
9) деликатный, вежливый, умный, воспитанный
10) самое главное, самое важное, самое смешное, самое основное

Б) Напишите, какое действие произошло.

1. Книга лежала на столе.
   Теперь она лежит на полу.   Книга _____ на пол.
2. Раньше часы работали.
   Теперь они стоят, не ходят.   Часы _____ .
3. Молоко было в пакете.
   Теперь оно в стакане.   Молоко _____ в стакан.

3. **А) Прочитайте объяснения слов из текста и напишите, какие это слова.**
(Какое это слово? Или: из объяснения поймите, какое это слово)

1

какой? какая? какое? какие?

мясо, которое ещё не варили и не жарили	мясо
книги, которые написаны для детей	книги
дом, в котором собралось много людей	дом людей
мягкий, вежливый в разговоре	человек
не свой (дом, щенок)	(дом, щенок)
лучший экземпляр собаки на выставке; у такого пса «самые правильные» нос, хвост, лапы и рост; такой пёс — пример для других собак	пёс
платья, которые носит девочка	платья

2

кто? что?

человек, который ест больше, чем нужно	
12 часов дня	
торты, пирожные, конфеты, мороженое	
собака-ребёнок	

8

В

что делать? что сделать?

положить так, чтобы никто не увидел	
весело проводить время	
съесть что-нибудь впервые	
считать и говорить всем, что у тебя всё лучше, чем у других	
делать для кого-либо всё: готовить, кормить, убирать, стирать, играть с ним	
делать вид; играть роль	

Б) Найдите в тексте эквиваленты выделенных слов и впишите их.

намного вкуснее	вкуснее
Супы **не нужны.**	эти супы?
Не нужно варить и жарить.	варить и жарить?
Неужели не вкуснее чистая вода?	не вкуснее чистая вода?

4. **Повторите грамматику: вставьте предлоги.**
Обратите внимание, что на один и тот же вопрос можно ответить, используя разные предлоги.

ГДЕ?
зевать _____ столом
сидеть _____ столом
есть _____ траве _____ домом
сидеть _____ чужих ног

КАКОЙ (-ая, -ие)?
тетрадь _____ арифметике
косточка _____ котлетки
книги _____ большими буквами

КУДА?
ставить лапу _____ тетрадку
брать карандаш _____ рот
садиться _____ стол
прятать печенье _____ подушку
(надо) бежать _____ кабинет
упал (упасть) _____ пол

ПОЧЕМУ? (из-за чего?)
не могут веселиться _____ яиц

5. **А) Познакомьтесь с конструкциями!**

> **БЫЛО БЫ ВЕСЕЛО, ЕСЛИ БЫ** все **ИГРАЛИ** со мной!
> (пр. вр.)
> (*Было бы весело*), **ЕСЛИ БЫ** все **ИГРАЛИ** со мной!
> (*Если*) ВСЕ БЫ ИГРАЛИ со мной!
>
> **БЫЛО БЫ** весело,   **ЕСЛИ БЫ** он + жиЛ...
>   хорошо, лучше   ... быЛ...
>   прекрасно, прекраснее   ... приехаЛ...

9

Б) Найдите в тексте и выпишите предложения с данной конструкцией.

_____

_____
_____
_____
_____

В) Прочитайте следующие фразы. Выразите своё отношение к ситуации или чьему-либо мнению.

Модель: Не все мои друзья приехали ко мне на день рождения. (Хорошо).
Было бы хорошо, если бы все мои друзья **приехали** ко мне на день рождения.

1. Дети не всегда ведут себя хорошо. (Странно)

_____

2. Очень жаль, что папа в командировке и его не будет с нами на празднике! (Весело)

_____

3. Новый год наступит только завтра, а я хочу Новый год уже сегодня! (Здорово!)

_____

4. Все любят разную музыку. (Смешно)

_____

5. Мы решили поехать за город. Хорошо, что сегодня нет дождя, как в прошлые выходные. (Ужасно)

_____

6. На даче скучно одному. Никто сегодня не приехал. (Веселее)
   На даче скучно одному. _____

_____

7. В фильме плохой конец, но все остались живы. Хорошо, что он не закончился катастрофой. (Ужаснее)
   В фильме плохой конец, но все остались живы. _____

_____

8. Мне нравится есть на траве перед домом. Может быть, и людям так понравится? (Отлично).

_____

9. Микки критикует людей, но не критикует себя. (Полезнее)

_____

6. **А) Познакомьтесь с конструкцией!**

> **БЫЛО БЫ** странно, **ЕСЛИ БЫ** он + **НЕ жиЛ** в Москве.
> (= Значит, он сейчас живёт в Москве.)

Б) Прочитайте следующие фразы и закончите фразы, выразив свое отношение к данным ситуациям.

1. Друзья приехали, как и обещали.

Было бы грустно, ЕСЛИ БЫ _____ .

2. Мой друг купил очень дорогую машину, но у него и так большой долг перед банком.

Было бы разумнее, ЕСЛИ БЫ _____ .

3. Ваши друзья поехали на два дня за город и хорошо отдохнули там.

Было бы глупо, ЕСЛИ БЫ _____ .

4. Джон согласился работать в новой фирме, потому что там больше платят.

Было бы неразумно, ЕСЛИ БЫ _____ .

5. Зина любит играть с Микки.

Было бы странно, ЕСЛИ БЫ _____ .

7.   **А) Познакомьтесь с конструкцией!**

САМОЕ ГЛАВНОЕ — (это) умеТЬ думаТЬ.
Я УМЕЮ ДУМАТЬ — это самОЕ главнОЕ.

САМОЕ важное	
нужное	
основное	— ЭТО + инф.
необходимое	
(не) разумное	
(бес) полезное	

Б) Соедините две части высказывания.

Самое главное для студента —	успокоиться и только потом действовать.
Для человека, который ищет работу, **самое важное** —	вызвать врача на дом или посидеть дома день-два.
Самое необходимое в экспедиции —	это **самое главное** в жизни.
Если вы заболели и у вас температура, **самое разумное** —	уметь работать самостоятельно.
Любить и понимать близких —	найти работу по душе.
Во время паники **самое правильное** —	еда, связь и медикаменты.

В) Выскажите своё мнение или дайте рекомендации, закончив следующие предложения.

1. _____ — это для меня **самое главное** в жизни.

2. Вы опаздываете на важную встречу. В такой ситуации **самое необходимое** — это _____ .

3. Если вы любите без ответа, **самое разумное** — это _____ .

4. Если у вас что-то в жизни не получается, **самое правильное** — _____
_____ .

5. Когда вы убираете квартиру, **самое главное** — _____
_____ .

6. Если гость случайно сломал ваш любимый цветок, **самое глупое** — _____
_____ .

8. А) Познакомьтесь с конструкцией!

ВАЖНЕЕ всего **ИНТЕРЕСНЕЕ** всего **УЖАСНЕЕ** всего **СМЕШНЕЕ** всего	+ инф.

Б) Продолжите следующий ряд.

Модель: интересно — интереснее всего

глупо — _____ всего   банально — _____ всего
скучно — _____ всего   смешно — _____ всего
тяжело — _____ всего   примитивно — _____ всего

В) Напишите, что людям или лично вам делать _скучнее всего, интереснее всего, труднее всего, ужаснее всего, важнее всего._

1. _____ в жизни читать увлекательные книги.

2. Из всех дел, которые я не люблю, _____ сидеть в аэропорту и ждать погоды.

3. Я думаю, что _____ в жизни любить её и уметь радоваться каждому дню.

4. Среди многих дел для большинства мужчин _____ ходить по магазинам.

5. Человеку _____ признавать свои ошибки и просить прощения (за своё поведение).

9. Учимся пересказывать!
Найдите соответствия между отрывками из текста и их пересказом.
Помните, что при пересказе мы, как правило, не используем прямую речь!

Это мы прочитали.

Зина начала хвастаться: «Видишь, Микки, сколько у меня тетрадок: по арифметике, по письму, по чтению. А вот ты, щенок несчастный, ни говорить, ни писать не умеешь».

①

Что мы узнали из текста?

Микки считает, что люди слишком много едят. Он уверен, что они едят всё своё свободное время. Фокс думает, что люди притворяются, когда говорят, что еда — не самое важное в их жизни.

«Что важнее всего в жизни? Еда. И не надо притворяться! Они разговаривают, читают, плачут, смеются, а потом садятся за стол. Едят утром, едят в полдень, едят вечером. А Зина ест даже ночью».

②

Микки обижается на людей, которые считают, что он ест слишком много. Он обижается, когда его называют обжорой. С его точки зрения, именно люди — настоящие обжоры, потому что после первого и второго они продолжают сидеть за столом и пить вино или кофе.

«Зачем вообще варить и жарить? Недавно я попробовал кусочек сырого мяса, когда он упал на кухне на пол. Можете мне поверить, оно было гораздо вкуснее котлет».

③

Зина ходит в школу. Она изучает математику и русский язык. Зина хвастается, что умеет читать и писать. Она думает, что Микки этого не умеет.

«Меня называют обжорой, а сами... После супа, после жаркого, после сыра они ещё пьют красное вино, жёлтое пиво и чёрный кофе. Зачем?»

④

Для Микки сырое мясо вкуснее котлет. Он хочет, чтобы люди никогда не готовили. Пусть едят всё только сырое, потому что это вкусно.

10. Проверьте, как вы поняли текст.
   А) Отметьте, какие из следующих высказываний правильные.

1. а) Микки считает, что он очень похож на свою хозяйку Зину.
   б) Микки считает, что его хозяйка Зина больше похожа на него, чем на девочку.

2. а) Фокс в дневнике ставит три звёздочки, чтобы всё было, как в детских книгах.
   б) Фокс ставит три звёздочки, чтобы обозначить новую мысль.

3. а) Микки очень интересуется жизнью людей и внимательно за ними наблюдает.
   б) Зина и ее гости очень интересуются тем, как живёт Микки и что он о них думает.

4. а) Фокс думает, что корове плохо в этой жизни из-за молока, а курам — из-за яиц.
   б) Он думает, что корове плохо в этой жизни, потому что у неё один сын — телёнок, а курам плохо, потому что они не умеют петь.

5. а) Микки — умная злая собака, которая всех критикует и контролирует.
   б) Микки — очень эмоциональная собака, умная и добрая.

   Б) Найдите окончание предложения.

1. Микки ведёт ... .
   а) домашнее хозяйство
   б) дневник
   в) неспокойную жизнь

2. Микки считает себя умным, потому что он умеет ... .

    а) всех критиковать

    б) грызть косточки

    в) думать, как люди

3. Он пишет в своём дневнике ... .

    а) о корове и курах

    б) о гостях в доме у Зины

    в) о себе и обо всём, что видит вокруг себя

4. Микки хочет изменить жизнь людей, потому что ... .

    а) людям не нравится их жизнь

    б) , по его мнению, собаки живут интереснее и правильнее

    в) люди не умеют веселиться

5. Микки считает, что фоксом быть лучше всего, так как ... .

    а) его всегда кормят

    б) с ним всегда играют

    в) он не делает того, что ему не нравится (например, играть на фортепиано или есть суп)

В) Найдите в тексте информацию и напишите ответы на вопросы.

1. Что умеет делать Зина?

_____

_____

_____

2. А что умеет делать фокс? Чем он отличается от других собак?

_____

_____

_____

3. Что делают люди, но не делает фокс?

_____

_____

_____

4. Какой видит Микки жизнь людей? Как они проводят свой день? Какое у них самое главное занятие?

_____

_____

_____

5. Чем Микки занимается целый день? Как проходит его день? Какое у него главное занятие?

_____

_____

_____

6. Что едят и пьют люди? Что ест фокс?

_____

_____

7. Что фоксу не нравится в людях?

_____

_____

8. Люди обижают Микки? Он прав, когда обижается на людей, или нет?

_____

_____

_____

9. Кто в этом доме, по его мнению, ведёт себя умно, а кто — глупо? Почему?

_____

_____

_____

10. Как вы считаете, Микки — эгоист или нет? Почему?

_____

_____

_____

11. Напишите эссе на тему «Идеал жизни фокса Микки» (50—70 слов).

_____

_____

_____

_____

_____

_____

_____

_____

_____

_____

_____

_____

_____

_____

_____

_____

_____

Часть 2
МОЙ СОН. МОЙ МЫ́СЛИ. Я ОДИ́Н

Ах, что я ви́дел во сне! Я был дире́ктором соба́чьей гимна́зии. Соба́ки сидя́т в кла́ссах и у́чат «исто́рию знамени́тых соба́к», «пра́вила соба́чьего поведе́ния», «как на́до есть ко́сточку» и други́е ну́жные ве́щи.

Я вошёл в мла́дший класс и сказа́л:

— Здра́вствуйте, щеня́та!

— Тяв, тяв, тяв, господи́н дире́ктор!

— Дово́льны вы ученика́ми, ми́стер Мопс?

— Не могу́ пожа́ловаться. Стара́ются.

— Ну, ла́дно, пусть отдохну́т полчаса́.

Что тут начало́сь! Шум, кри́ки — и я просну́лся, потому́ что замёрз.

сон (*где?* во сне) — sleep (in one's sleep)

поведе́ние — behavior

щено́к (мн. ч. щеня́та) — puppy

дово́лен (дово́льна, дово́льны) (*кем?*) — satisfied with
мопс — pug (dog)

шум — noise
крик — shout
просыпа́ться/просну́ться — to awake
замерза́ть/замёрзнуть (пр. вр.: замёрз, замёрзла) — to get frozen

***

Мы́сли:

Вода́ замерза́ет зимо́й, а я — ка́ждое у́тро.

Когда́ щено́к де́лает ма́ленькую лу́жу на полу́, его́ руга́ют. Когда́ ма́ленький бра́тик Зи́ны де́лает то же са́мое, его́ целу́ют в пя́тку.

пя́тка — heel

Дра́лся с ежо́м, но он нече́стный: спря́тал го́лову — и со всех сторо́н у него́ зад.

дра́ться/подра́ться (*с кем?*) — to have a fist fight

Случа́йно съел колбасу́ с верёвочкой. Неуже́ли у меня́ бу́дет аппендици́т?

верёвка (верёвочка) — rope (bit of string)

Зи́на па́хнет молоко́м, её ма́ма — тёплой бу́лкой, а па́па — ста́рым портфе́лем.

па́хнуть (НСВ, *чем?*) — to smell (of)

Бо́льше мы́слей не́ту.

не́ту = нет (разг.)

***

О́сень. Идёт дождь. Когда́ ему́ надое́ст лить це́лый день? Па́дают жёлтые ли́стья, и ско́ро дере́вья бу́дут совсе́м го́лые. А пото́м пойду́т тума́ны.

надое́сть (СВ, буд. вр.: надое́ст) — to get sick of doing smth.

Тума́ны — тума́ны — тума́ны. Грязь — грязь — грязь. А пото́м бу́дет тепло́. Прилетя́т пти́цы. Не́бо ста́нет как Зи́нина голуба́я ю́бка. Э́то называ́ется весна́. Дере́вья, да́же ста́рые,

тума́н — mist

17

молодеют каждую весну. А люди и взрослые собаки — никогда.
Я бы это переделал. Но что может маленький фокс?

Осенью все люди переезжают в город. Зина собирает свои
книжки, со стен снимают ковры. В столовой — бумаги и мусор.
Грузовик забрал вещи. Зачем люди переезжают с места на
место? Дела, уроки, квартира... «Собачья жизнь!» — говорит
Зинин папа. Нет, собачья лучше, я это знаю.

Меня оставили. Зина просила, чтобы я не плакал, обещала
раз в неделю приезжать. В доме никого нет. Дует ветер. Вчера
плакал у камина. Я одинокий, несчастный, холодный и голодный пёс Микки. Садовник меня плохо кормит, и я похудел.

Кроме меня в комнате живут мыши. Они маленькие и
всегда хотят есть. Я очень люблю мышей. Вчера один мышонок
начал катать прошлогодний орех. Очень хотел поиграть с ним,
но боялся его испугать. А другой — совсем смелый. Сегодня по-
дошёл очень близко к моей лапе. Тяф! Как я его люблю!

Опять плакал. Чуть не попал под машину. Кто меня помоет?
Зина меня забыла!

Увидел, что мыши съели страницу моего дневника. Никогда
больше не буду любить мышей!

Сегодня нашёл в гостиной кусочек старого шоколада и
съел. Это радость. Но вообще радостей мало.

собирать/собрать (*что?*) —
   to get together
снимать/снять (*что?*) со стены —
   to take down
забирать/забрать (*что?*) —
   to take smth.
собачья жизнь — dog's life
оставлять/оставить (*кого?*) —
   to leave
дуть (НСВ) — to blow
камин — fireplace
худеть/похудеть — to lose one's
   weight

катать/покатать (*что?*) —
   to roll smth.
пугать/испугать (*кого?*) —
   to frighten smb.
чуть не — almost, very nearly

ЛЕКСИКО-ГРАММАТИЧЕСКИЕ УПРАЖНЕНИЯ

1. Какие глаголы пропущены? Глаголы можно использовать несколько раз.

> **собирать/собрать** (*что?*) — to get together, to pack
> **забирать/забрать** (*что?*) — to take smth.
> **оставлять/оставить** (*что? кого?*) — to leave

1. Когда мы едем на юг отдыхать, дети _____ свои вещи, чтобы помочь взрослым.

2. По дороге домой я заехал и _____ вещи из химчистки, которые _____ там два дня назад.

3. Обычно я сам _____ сына из детского сада, но сегодня придётся задержаться на работе, поэтому я попросил друга заехать в детский сад за Серёжей.

4. В школу приехал Дед Мороз, и детей _____ в большом зале на праздник.

5. Детей нельзя _____ дома одних.

6. В детстве нас всегда _____ на лето у бабушки, и мы прекрасно проводили время в деревне. В город нас обычно _____ в конце августа.

> **бояться** (*кого? чего?*)
> **пугать/испугать** (*кого?*) — to frighten smb.
> **пугаться/испугаться** (*кого?*) — to be frightened of

1. Щенка первый раз оставили одного дома. Он очень _____, когда понял, что все ушли.

2. Если спортсмен _____ рисковать, он может потерять свой шанс на победу.

3. Домашних животных очень_____ фейерверки и салюты, они также часто _____ грозы.

4. Одни дети _____ темноты, другие — высоты или воды, третьи — ничего не _____, но таких немного.

5. Каждого человека _____ неизвестность, но этого не надо _____ .

> **замерзать/замёрзнуть** — to get frozen
> пр. вр.: он замёрз
> она замёрзла
> они замёрзли

1. Если вы сильно _____, врачи рекомендуют принять горячий душ и выпить чего-нибудь тёплого.

2. При минус пятидесяти _____ даже птицы: они не могут летать.

3. Чтобы не _____ в горах, нужно взять с собой тёплые вещи и спальный мешок.

4. Если ты _____, я включу радиатор и поставлю чайник.

надоедать/надоесть (СВ) + инф. — to get sick of doing smth.
пр. вр.: мне надоело
буд. вр.: мне надоест

1. Если тебе _____ заниматься домашними делами, пойди прогуляйся.

2. Мне _____ зависеть от своего настроения, но как изменить эту ситуацию, я не знаю.

3. Ты мешаешь мне работать! Когда тебе _____ слушать эту музыку? Выключи, пожалуйста, или поставь что-нибудь другое.

4. Психологи говорят, что человеку никогда не _____ рассказывать о себе или слушать, когда о нём говорят.

2. **А) Какое слово или словосочетание лишнее?**

1) ругать, обижать, помогать, упрекать

2) приказать, посоветовать, заставить, потребовать что-нибудь сделать

3) дрался, боролся, умылся, бился

4) похудел, потолстел, побледнел, набрал вес

5) замёрз, согрелся, вымок, привык

6) локоть, колено, пятка, блузка, шея

Б) Найдите в тексте слова с противоположным значением и выпишите их.

всё оставить как было (ничего не менять) — _____

стареть — _____

хвалить — _____

поправиться — _____

вешать (на стену) — _____ (со стены)

счастливый — _____

сытый — _____

честный — _____

специально (сделал) — _____

3. **А) Прочитайте объяснения слов из текста и напишите, какие это слова.**

1

какой? какая? какое? какие?

такой, которого все знают	
деревья без листьев	деревья
который хочет есть	
который живёт один, у которого никого нет	
плохая жизнь	жизнь

кто? что?

профессия человека, который работает в саду	
погода, когда на улице воздух как молоко и с трудом можно увидеть друг друга, здания и машины	
когда мы спим, мы это видим	
мышь-ребёнок	
то, что нам не нужно, то, что мы выбрасываем	
так называется мокрая земля после дождя, из-за неё ваша обувь грязная	
нога собаки, волка или тигра	
общая комната, где семья собирается каждый вечер	

3

что делать? что сделать?

человек спал, потом открыл глаза		
человек потерял вес: он весил 80, а теперь весит 60 килограммов		
говорить, что обязательно что-то сделаешь		
процесс, когда вода выходит из организма		
(ему) стало очень холодно	(он)	
(его) не взяли с собой	(его)	
был далеко, теперь рядом		ко мне
ковёр был на стене, теперь его там нет	ковёр	со стены

Б) Найдите в тексте эквиваленты выделенных слов и впишите их.

В комнате **живу я и ещё** тут живут мыши.		в комнате живут мыши.
Разве у меня **может быть** аппендицит?		у меня будет аппендицит?
Вам нравится, как работают ваши ученики?		вы учениками?
Не могу **сказать** о них **ничего плохого**.	Не могу	на них.
Снова плакал.		плакал.
Почти попал под машину.		попал под машину.

4. Повторите грамматику: вставьте предлоги, где это нужно.
Обратите внимание, что на один и тот же вопрос можно ответить, используя разные предлоги.

ГДЕ?

сидеть _____ классе

лужа _____ полу

плакать _____ камина

найти _____ гостиной

_____ всех сторон (у него зад)

КУДА?

попасть _____ машину

войти _____ класс

целовать _____ пятку

переезжать _____ город

переезжать _____ места _____ место

КАКОЙ (-ая, -ие)?

директор _____ гимназии

колбаса _____ веревочкой

история _____ знаменитых собак

правила _____ собачьего поведения

КОГДА?

раз _____ неделю

5. **А) Познакомьтесь с конструкциями!**

> Зина ПРОСИЛА , чтобы я не грустиЛ.
> , чтобы я не скучаЛ.
> Зина ХОТЕЛА , чтобы я её ждаЛ.

Б) Найдите в тексте и выпишите предложения с данной конструкцией.

_____

_____

_____

_____

В) Прочитайте следующие фразы. Напишите, что вы узнали о желаниях этих людей.

Модель: Мама: Я боюсь, что ребёнок много времени смотрит телевизор.
Мама хочет, чтобы её ребёнок меньше смотрел телевизор.

1. Мальчик Миша: Пусть мама купит мне фокса!

_____

2. Микки: Почему меня никто не понимает?

_____

3. Микки: Кто меня помоет?

_____

4. Микки: Зина меня забыла!

_____

5. Микки: Мне не нравится, что дождь льёт целый день!

_____

6. Микки: Как будет хорошо, когда прилетят птицы, а небо станет как Зинина голубая юбка!

_____

6. А) Познакомьтесь с конструкцией!

> Зина **ПАХНЕТ МОЛОКОМ.**
> _Чем она пахнет?_

Б) Найдите в тексте и выпишите предложения с данной конструкцией.

_____
_____
_____
_____
_____
_____

В) С помощью данной конструкции напишите, кто чем пахнет.

КТО?		_ЧЕМ?_	
Шофёр		_____	. (тёплое молоко)
Фокс		_____	. (духи)
Девочка		_____	. (пыль)
Доктор	ПАХНЕТ	_____	. (солнце и море)
Старая дача		_____	. (косточка)
Девушка		_____	. (лекарство)
Котёнок		_____	. (бензин и машина)

7. Соедините две части высказывания.

1. Во сне фокс видел себя	потому что съел колбасу с верёвочкой.
2. Люди обычно ругают щенков за лужи на полу,	а потом приходит тепло и прилетают птицы.
3. Микки испугался аппендицита,	и ему было так плохо, что он два раза плакал.
4. Весна начинается с туманов и грязи,	а маленьких детей за то же самое целуют.
5. Микки оставили на даче одного,	это будет радость.
6. Если ты голоден, а потом найдёшь и съешь кусочек старого шоколада,	директором собачьей гимназии.

8. Учимся пересказывать!

Найдите соответствия между отрывками из текста и их пересказом.

Помните, что при пересказе мы, как правило, не используем прямую речь!

Это мы прочитали.

Что мы узнали из текста?

Когда щенок делает маленькую лужу на полу, его ругают. Когда маленький братик Зины делает то же самое, его целуют в пятку.

1

Микки — добрый фокс и не может обидеть маленьких, даже если это мышонок. Микки боится его испугать, поэтому не играет с ним.

Зина пахнет молоком, её мама — тёплой булкой, а папа — старым портфелем.

2

Кончается лето, и у людей кончается отдых на даче, их ждет много дел в городе. Они вместе с вещами переезжают в городскую квартиру, и для них начинается «собачья жизнь» — это значит работа, школа, проблемы...

Деревья, даже старые, молодеют каждую весну. А люди и взрослые собаки — никогда. Я бы это переделал.

3

Микки считает, что люди ведут себя странно и несправедливо. В одной и той же ситуации они его ругают, а ребёнка целуют.

Вчера один мышонок начал катать прошлогодний орех. Очень хотел поиграть с ним, но боялся его испугать.

4

Фоксу хочется изменить мир: было бы справедливо, если бы люди и собаки каждый год снова молодели, как это происходит с деревьями.

Осенью люди переезжают в город. (...) Грузовик забрал вещи. Зачем люди переезжают с места на место? Дела, уроки, квартира... «Собачья жизнь!» — говорит Зинин папа.

5

Как всякая собака, Микки хорошо чувствует запахи. Если Зина пахнет молоком, значит, она его любит. Если мама пахнет булками, значит, она их печёт, а Зинин папа пахнет портфелем, значит, он работает преподавателем или банкиром.

9. **Проверьте, как вы поняли текст.**
А) Отметьте, какие из следующих высказываний правильные.

1. а) Микки видел во сне, как собаки отвечают на уроках.
   б) Микки видел во сне, как собаки сидят в классах и учат «историю знаменитых собак», «как надо вести себя за столом» и другие предметы.

2. а) Микки все время плачет на даче.
   б) Микки плохо на даче, но у него бывают и маленькие радости.

3. а) Фокс всегда знал, что нельзя играть с мышами.
   б) Теперь фокс знает, что мыши могут принести неприятности.

4. а) Фокс все время сидит в комнате и ждёт хозяйку.
   б) Фокс выбегает на улицу, он ждёт Зину и хочет её встретить.

5. а) Фокс понимает, что он ничего не может изменить в природе.
   б) Микки думает, что он может переделать природу.

Б) Найдите окончание предложения.

1. В собачьей гимназии учитель ... .
   а) жалуется на щенят-учеников
   б) доволен своими учениками
   в) старается не жаловаться на учеников

2. Микки было трудно драться с ежом, потому что ... .
   а) ёж дерётся лучше, чем Микки
   б) Микки не умеет драться
   в) фокс не мог найти у ежа голову (везде у него зад)

3. Когда люди уезжают с дачи в город, они ... .
   а) забирают с собой свои вещи, в том числе книги и ковры
   б) забирают с собой домашних любимцев
   в) оставляют на даче все вещи и собаку

4. Зина знала, что Микки будет плохо на даче одному, поэтому ... .
   а) попросила садовника кормить его
   б) обещала раз в неделю приезжать
   в) плакала вместе с Микки

5. Осенью на даче собаке холодно, потому что ... .
   а) в доме никого нет
   б) Микки плохо кормят
   в) дует ветер

6. У Микки случаются в жизни маленькие радости, например, ...
   а) осенью люди переехали в город
   б) он нашёл и съел кусочек шоколада
   в) он похудел и теперь бегает быстрее

В) Найдите в тексте информацию и напишите ответы на вопросы.

1. Какие события произошли в жизни фокса до отъезда людей?

_____

_____

2. В своём дневнике фокс очень логично называет основные признаки осени. Какие?

_____

_____

3. Там есть и признаки весны. Какие?

_____

_____

_____

4. Какие проблемы существуют в собачьей жизни?

_____

_____

_____

5. Что бы он хотел переделать в жизни людей и собак?

_____

_____

_____

6. Как люди могут помочь ему с его проблемами?

_____

_____

_____

7. Почему он сначала полюбил мышей, а потом пообещал себе никогда больше не любить их?

_____

_____

_____

8. По характеру Микки пессимист или оптимист?

_____

_____

_____

9. Какие предметы нужно было бы, по-вашему, преподавать в собачьей гимназии?

_____

_____

_____

10. Напишите эссе на тему «Микки плохо на даче одному» (50—70 слов).

_____

_____

_____

_____

_____

_____

_____

_____

_____

_____

_____

_____

_____

_____

Часть 3
ПАРИ́Ж И КИНО́

Тре́тью неде́лю живу́ в Пари́же, на у́лице Ассомпсио́н, 16, телефо́н 12-37. Тре́тий эта́ж, напра́во. Сейча́с вы бы меня́ не узна́ли. Лежу́ у ками́на на поду́шке, как фарфо́ровая ко́шка. От меня́ па́хнет вку́сным мы́лом, а на ше́е серебряная визи́тная ка́рточка с а́дресом.

ками́н — fireplace
фарфо́ровый — porcelain
па́хнуть (*чем? от кого?*) — to smell (of)

Внизу́, вверху́, спра́ва и сле́ва игра́ют на пиани́но. Для соба́ки сли́шком мно́го му́зыки!

Зи́на в шко́ле. И заче́м де́вочке так мно́го учи́ться? Всё равно́ вы́растет, сде́лает мо́дную стри́жку и бу́дет це́лыми дня́ми лежа́ть на дива́не. Я э́ту поро́ду хорошо́ зна́ю.

расти́/вы́расти (буд. вр.: вы́расту, вы́растешь) — to grow up

***

Был с Зи́ной в кино́. О́чень разволнова́лся. Как э́то, как э́то мо́жет быть, что́бы лю́ди, автомоби́ли, де́ти и полице́йские бе́гали по бе́лой простыне́?

волнова́ться/разволнова́ться — to get exited
простыня́ — sheet

Вот, Микки, ты дура́к, потому́ что ду́мал, что всё понима́ешь!

Фильм был о́чень глу́пый: он влюби́лся в неё и пое́хал на автомоби́ле в банк. Она́ то́же влюби́лась в него́, но вы́шла за́муж за его́ дру́га. И пое́хала на автомоби́ле к мо́рю с тре́тьим. Пото́м был пожа́р в ва́нной ко́мнате. Пото́м они́ бы́ли на парохо́де, и негр (како́й-то африка́нец) прибежа́л к ним в каю́ту. А пото́м все помири́лись. Нет, соба́чья любо́вь умне́е и вы́ше!

пожа́р — fire
каю́та — cabin, state-room

Обяза́тельно на́до постро́ить кинотеа́тры для соба́к. Э́то бессо́вестно, когда́ всё то́лько для люде́й: и газе́ты, и ка́рты, и стадио́ны. И ничего́ для соба́к.

бессо́вестно — shamelessly

Пусть во́дят нас в кино́ оди́н раз в неде́лю, а мы бу́дем культу́рно наслажда́ться. Я бы писа́л сцена́рии для фи́льмов: «Сны ста́рого до́га», «Полице́йская соба́ка», «Сенберна́р спас де́вочку».

Ах, ско́лько тем, Микки!

наслажда́ться (НСВ) — to enjoy
сцена́рий — scenario, script
дог — Great Dane
сенберна́р — St. Bernard (dog)
спаса́ть/спасти́ (кого?) (пр. вр.: спас, спасла́) — to save

ЛЕКСИКО-ГРАММАТИЧЕСКИЕ УПРАЖНЕНИЯ

1. **А) Запомните значение следующих наречий.**

ГДЕ?	КУДА?
Что вверху? *Что слева?* **Я стою** *Что справа?* *Что внизу?*	*налево* ← ┐●┌ → *направо* **Я иду** **Я иду** **Идите**
Где? **здесь, там**	*Куда?* **сюда, туда**

Б) Какие наречия пропущены?

1. На рабочем месте всё должно находиться на своих местах: в центре — компьютер, _____ — документы и книги, _____ — чистые листы бумаги. _____, под столом, обязательно должна стоять корзина для мусора.

2. — Вам нужна библиотека? Четвёртый этаж _____, третья дверь.

3. — Дима, у нас ты сможешь замечательно отдохнуть. Наш домик стоит в горах, _____ протекает река, _____ и _____ — густой лес. Приезжай, не пожалеешь!

4. — Не скажете, кабинет директора _____ или _____?
— Вот сюда, _____. На двери табличка.

5. — Театр? Пойдёте _____, до угла, потом _____ и там увидите театр.

6. — Вы ошиблись, здесь нет кафе. Мы сейчас на пятом, а кафе _____, на втором. Спуститесь на лифте, так быстрее.

2. **А) Какое слово или словосочетание лишнее?**

1) прибежал, пришёл, присел, прилетел
2) лежу, сижу, стою, пою
3) подушка, камин, простыня, одеяло
4) один раз в неделю, один раз в месяц, один раз в театр, один раз в год
5) стрижка, маникюр, пошив, окраска

Б) Найдите в тексте слова и фразы с противоположным значением и выпишите их.

очень спокоен — очень _____
поссорились — _____
Вы бы на меня посмотрели и сразу поняли, что это я. — _____
_____
Девочка должна ходить в школу и много заниматься. — _____
_____

Всё для собак. — _____

Невозможно найти, о чём писать. — _____

3. Прочитайте объяснения слов из текста и напишите, какие это слова.

1

какой? какая?

не умный	
карточка, на которой написаны ваши фамилия, имя, место работы и номер телефона	карточка
популярная, стильная стрижка (одежда, сумка)	стрижка

2

что?

огонь в квартире или здании, который может всё уничтожить	
комната в квартире, где люди умываются, чистят зубы и принимают душ	
водный транспорт (транспорт на воде)	
комната на пароходе или корабле	
текст будущего фильма	

3

что делать? что сделать?

официально стать чьей-либо женой	
почувствовать, что любишь кого-то	
поругались, потом решили всё забыть	
получать удовольствие	
в критической ситуации помочь другому человеку уйти от опасности	
стал нервничать, беспокоиться	
сейчас девочка маленькая, но она станет большой	

4

как? как долго?

все дни, с утра до вечера	
музыки много, больше, чем надо	много

4. Повторите грамматику.

А) Вставьте предлоги, где это нужно. Обратите внимание, что на один и тот же вопрос можно ответить, используя разные предлоги.

ГДЕ?

лежать _____ камина
лежать _____ подушке, _____ диване
Зина _____ школе
бегать _____ белой простыне
пожар _____ ванной комнате
были _____ пароходе

КУДА?

поехал _____ банк
поехала _____ морю
прибежал _____ ним _____ каюту
пусть водят нас _____ кино

КАКОЙ (-ая, -ие)?

визитная карточка _____ адресом
кинотеатр _____ собак
сценарии _____ фильмов

КАК ЧАСТО?

один раз _____ неделю

Б) Напишите вопросы к выделенным словам.

играть **на пианино** — играть _____?
поехать **на автомобиле** — поехать _____?
влюбиться **в него** — влюбиться _____?
выйти замуж **за своего друга** — выйти замуж _____?
от меня пахнет **вкусным мылом** — _____? пахнет _____?

5. А) Познакомьтесь с конструкциями!

┌─────────────────────────────────────┐
│   │
│   (Он) очень **ВЗВОЛНОВАН**.   │
│   │
│   (Она) очень **ВЗВОЛНОВАНА**.   │
│   │
└─────────────────────────────────────┘

Б) Вспомните формы кратких страдательных причастий прошедшего времени.

СВ

удивился (be astonished at) → удивлён, удивлена, удивлены
расстроился (be upset) → расстроен, расстроена, расстроены
обиделся (be hurt) → обижен, обижена, обижены
разволновался (get excited) → взволнован, взволнована, взволнованы
рассердился (be angry with smb.) → рассержен, рассержена, рассержены
испугался (be frightened) → испуган, испугана, испуганы

} *чем?*

6. Прочитайте следующие фразы. Напишите, что чувствует человек в этой ситуации, и назовите причину.

Модель: Пете не дали досмотреть фильм по телевизору. **Он обиделся.**

Петя сейчас обижен, потому что ему не дали досмотреть фильм по телевизору.

1. У бабушки сломались очки, и она очень **расстроилась.**

2. Антону позвонила его одноклассница, с которой он не виделся лет двадцать. Он вспомнил свою первую любовь и **разволновался** как школьник.

_____

3. Даша сказала, что друзья пригласили её за город в последний момент и она не успела собраться. Конечно, она никуда не поехала и **обиделась на них**.

_____

4. — Посмотри в окно! Там Петька стоит и плачет. Наверное, опять **испугался** собаки. Что с ним делать?

_____

5. Больше всего на свете наш папа не любит, когда дети говорят неправду. Вот и сегодня он **рассердился** на Машу.

_____

6. Когда Микки увидел настоящий автомобиль на экране, **он очень удивился**. Автомобиль ехал!

_____

7. **А) Познакомьтесь с конструкциями!**

┌─────────────────────────────────────┐
│ **ПУСТЬ водИТ** меня в кино!   │
│ **ПУСТЬ водЯТ** нас в кино!   │
└─────────────────────────────────────┘

Б) Прочитайте следующие фразы. Выразите побуждение к действию с помощью частицы _пусть_.

Модель: **Я хочу, чтобы Зина водила** меня в кино! = **Пусть** Зина **водит** меня в кино!
Я хочу, чтобы Зина повела меня в кино! = **Пусть** Зина **поведёт** меня в кино!

1. Хочу, чтобы Дед Мороз подарил мне велосипед!

_____

2. Не буди его! Он очень устал на работе. Я хочу, чтобы он отдохнул.

_____

3. В первом классе я прошу детей приносить на урок игрушки. Так они быстрее привыкают к школе.

_____

4. Я хочу, чтобы была весна и пели птицы!

_____

5. Я хочу, чтобы он не обижался на меня, когда я говорю правду.

_____

6. Ему надо читать каждый день, тогда он научится читать быстро.

_____

7. Позвони родителям: не надо, чтобы они волновались за меня.

_____

8. Девушка хочет задать вопрос, но стесняется. Скажи ей, что стесняться не нужно.

_____

8. **А) Познакомьтесь с конструкцией!**

> дат. пад. + инф. НСВ
> **Зачем ДЕВОЧКЕ УЧИТЬСЯ?**
> (= Девочке не надо учиться.)

Б) Прочитайте следующие фразы. С помощью данной конструкции напишите, что делать нецелесообразно.

1. Ты хочешь поехать за границу, а я думаю, что хорошо отдохнуть можно и дома.

_____ ?

Можно прекрасно отдохнуть и дома.

2. Ребёнок слишком много ест. Это вредно.

_____ ?

Это вредно для здоровья.

3. Антон — гуманитарий. Лучше поступить на филологический, а он подал документы на физический.

_____ ?

Он прирождённый гуманитарий.

4. Фокс начал изучать физику? Бред!

_____ ?

Бред!

5. — Посмотри, сколько всего в карманах: карандаши, мелочь, мобильник! В конце концов карманы порвутся!

_____ ?

В конце концов они порвутся!

6. — Наташа хочет купить эту книгу? Она дорогая. Можно взять почитать у Джона, он с удовольствием даст ей книгу.

_____ ,

когда можно взять её у Джона?

9. **Соедините две части высказывания.**

Лежу у камина на подушке,	потому что не мог понять, как это сделано.
Когда Зина вырастет, она уже не будет учиться,	водить туда собак.
Микки был очень взволнован, когда посмотрел кино,	как фарфоровая кошка.
Надо построить специальные кинотеатры и	она будет целыми днями отдыхать.
«Сенбернар спас девочку» —	это отличный сценарий фильма для собак.

10. Учимся пересказывать!

Найдите соответствия между отрывками из текста и их пересказом.

Помните, что при пересказе мы, как правило, не используем прямую речь.

Это мы прочитали в тексте.

Что мы узнали из текста?

Третью неделю живу в Париже. Сейчас вы бы меня не узнали. Лежу у камина на подушке, как фарфоровая кошка. От меня пахнет вкусным мылом, а на шее серебряная визитная карточка с адресом.

①

Микки смотрит фильм как ребенок и рассказывает его тоже как ребёнок. Фоксу не хватает слов, чтобы описать события. Он сообщает, что произошло, но не объясняет почему, потому что не понимает. Он даже не помнит, как кого в фильме зовут.

Я бы писал сценарии для фильмов: «Сны старого дога», «Полицейская собака», «Сенбернар спас девочку».

②

У Микки счастливый период в жизни. О нём вспомнили, его забрали с дачи, увезли в Париж, помыли, повесили визитную карточку. От него вкусно пахнет, и он сам себе нравится.

Как это, как это может быть, чтобы люди, автомобили, дети и полицейские бегали по белой простыне? Вот, Микки, ты дурак, потому что думал, что всё понимаешь!

③

Микки мечтает создавать фильмы только для собачьей аудитории, и только собаки будут героями этих фильмов. Это будут мелодрамы, детективы и героические ленты.

Потом был пожар в ванной комнате. Потом они были на пароходе, и (...) какой-то африканец прибежал к ним в каюту. А потом все помирились...

④

Микки первый раз в кино, он никогда раньше не видел ни одного фильма. Экран он называет белой простыней и совершенно не понимает, как живые люди и машины могут бегать по этой простыне. Наверное, он не понимает также, почему он этого не понимает. Да потому, что не изучал физику.

35

11. Проверьте, как вы поняли текст.

А) Отметьте, какие из следующих высказываний правильные.

1. а) В парижском доме рядом с камином подушка, а на ней — фокс.
   б) В парижском доме рядом с камином лежит фарфоровая кошка.

2. а) Фокс очень рад, что в его доме звучит много музыки.
   б) Микки устал от фортепьянной музыки.

3. а) Фокс считает, что девочки правильно делают, когда ходят в школу.
   б) Микки думает, что девочкам совсем необязательно учиться.

4. а) Микки уверен, что он умнее и выше людей.
   б) Микки умеет смотреть на себя критично.

5. а) Микки считает, что люди не заботятся о собаках.
   б) Микки считает, что и газеты, и карты, и стадионы — всё должно быть только для людей.

Б) Найдите окончание предложения.

1. Микки живёт в Париже ... .
   а) больше двух недель
   б) уже три недели
   в) больше трёх недель

2. Микки сейчас не узнать, потому что ... .
   а) он лежит на подушке у камина
   б) его помыли и прикрепили визитную карточку
   в) ему сделали модную стрижку

3. На пианино играют ... .
   а) соседские дети
   б) у соседей, внизу и вверху
   в) в каждой квартире

4. В кино Микки не понимает, ...
   а) зачем вообще нужна белая простыня
   б) как люди и автомобили спрятались за простынёй
   в) как и людям, и автомобилям удаётся бегать по простыне

5. Микки считает, что фильм был ... .
   а) о пожаре на корабле
   б) о ссорах и примирении между людьми
   в) о любви между людьми

6. После фильма Фокс начинает ... .
   а) строить кинотеатры для собак
   б) мечтать и философствовать
   в) писать сценарии новых фильмов

В) Найдите в тексте информацию и напишите ответы на вопросы.

1. Какие изменения произошли с Микки в Париже?

_____

_____

2. Хозяева Микки — богатые люди или нет? Почему?

_____

_____

3. Что Микки не устраивает в квартире на улице Ассомпсион?

_____

_____

4. Как Микки представляет себе будущее Зины? Прав он или нет?

_____

_____

5. Что так взволновало Микки в кинотеатре?

_____

_____

6. Когда Микки пересказывает фильм, это звучит как пародия. Как вы думаете, чья это пародия, фокса или кого-то другого? Какой жанр фильма пародируется?

_____

_____

7. Чью жизнь фокс хочет улучшить? Как он хочет сделать это?

_____

_____

8. Как вы думаете, почему фокса Микки не оставляет мысль переделать всё в этой жизни?

_____

_____

9. О чём нам говорят названия сценариев (для фильмов), которые предлагает написать Микки?

_____

_____

12. Представьте, что вместе с вами ваш любимый фильм посмотрел фокс Микки и понял его по-своему. Напишите краткий пересказ этого фильма или эпизода из этого фильма от лица фокса Микки (80—100 слов).

_____

_____

_____

_____

_____

_____

_____

_____
_____
_____
_____
_____
_____
_____
_____

13. Напишите эссе на тему «Микки и кино» (50—70 слов).

_____
_____
_____
_____
_____
_____
_____
_____
_____
_____
_____
_____
_____
_____
_____

Часть 4
МОРЕ И ПЛЯЖ

Ах, как изменилась моя жизнь! Зина влетела в комнату:

— Микки, мой принц! Мы едем к морю!

Я сразу побежал вниз, к знакомой болонке. Она родилась у моря и очень хорошо ко мне относится.

— Кики, моя дорогая, меня везут к морю. Что это такое?

— О, это очень-очень много воды. В десять раз больше, чем в фонтане. Тебе будут бросать в воду палки, а ты их будешь вытаскивать...

— Чудесно! Дай лапу. Что тебе привезти с моря?

— Тёплый шарфик. Прощай, Миккочка!..

Кажется, она в меня влюблена.

болонка — Maltese (dog)
относиться (НСВ, к кому?) — to be disposed to, to treat smb.
привозить/привезти (кого? куда?) — to bring smth. (by transport)
бросать/бросить (что? куда?) — to throw smth.
палка — stick
вытаскивать (НСВ, что?) — drag smth. out

***

«В десять раз больше, чем в фонтане». Кики ничего не понимает. В двадцать раз больше! Вода до самого неба и больше ничего. И солёная... Почему солёная? Дождик ведь пресный.

пресный — fresh

Лю́ди хо́дят почти́ го́лые, в полоса́тых купа́льных костю́мах. Пу́говицы на плече́. Вообще́ глу́по. Я, сла́ва бо́гу, купа́юсь без костю́ма. Ах, как мы с Зи́ной игра́ем в воде́! Я ла́ю на во́ду, а она́ броса́ет в меня́ мя́чик, и я выта́скиваю его́ из воды́.

го́лый — naked
полоса́тый — striped
Сла́ва бо́гу! — Thank God!
ла́ять (НСВ) — to bark

Я подружи́лся со все́ми детьми́. Есть таки́е ма́ленькие, что да́же не мо́гут сказа́ть «Ми́кки!» и зову́т меня́ «Ми». Сидя́т го́ленькие на песке́ и смо́трят. Я бе́гаю, выта́скиваю из воды́ де́тские кора́блики, и весь бе́рег меня́ зна́ет. «Како́й чу́дный фокс! Чей э́то фокс? Зи́ны? Замеча́тельный фокс!»

кора́блик — small ship

Тепе́рь о взро́слых. Мужчи́ны хо́дят в бе́лых костю́мах. Полдня́ ку́рят. Полдня́ чита́ют газе́ты. Полдня́ купа́ются. Полдня́ фотографи́руются. Пла́вают хорошо́ и о́чень далеко́ заплыва́ют. Я слежу́ за ни́ми и волну́юсь: а вдруг кто́-нибудь уто́нет? Что я тогда́ до́лжен де́лать?

взро́слый — an adult

заплыва́ть/заплы́ть (куда́?) — to swim far out
следи́ть (НСВ, наст. вр.: слежу́, следи́шь) — to watch smb.
тону́ть/утону́ть — to sink, to drown
поднима́ться/подня́ться (куда́?) — to go upstairs
спуска́ться/опусти́ться (куда́?) — to go down, to descend
переодева́ться/переоде́ться — to change one's clothes
па́лец (тв. пад. па́льцем) — finger, toe

О́чень хорошо́ пры́гают в во́ду с мо́стика. Ру́ки вниз — и пря́мо в во́ду. Я то́же подня́лся на мо́стик и стра́шно-стра́шно хоте́л пры́гнуть. Но так высоко́! И так глубоко́! Я тихо́нько спусти́лся вниз. Вот како́й ты, Ми́кки!

Да́мы всё вре́мя переодева́ются и переодева́ются. Пото́м раздева́ются, пото́м опя́ть переодева́ются. Купа́ться о́чень не лю́бят. Попро́бует да́ма больши́м па́льцем пра́вой ноги́ во́ду, войдёт ненадо́лго в мо́ре, а пото́м лежи́т весь день на со́лнце.

40

Коне́чно, есть и таки́е да́мы, кото́рые пла́вают. Но они́ бо́льше похо́жи на ма́льчиков. Вообще́ я ничего́ не понима́ю.

Фотографи́роваться они́ то́же лю́бят. Я сам ви́дел. Одни́ лежа́ли на песке́. Над ни́ми стоя́ли други́е. Все вме́сте называ́ются гру́ппа. Внизу́ фото́граф поста́вил табли́чку с назва́нием на́шего куро́рта. И вот одна́ да́ма, кото́рую табли́чка немно́го закры́ла, передви́нула её тихо́нько к друго́й да́ме, чтобы себя́ откры́ть, а её закры́ть... А та да́ма передви́нула её наза́д, а пе́рвая — опя́ть к ней. Каки́е злы́е у них бы́ли глаза́!

вообще́ — in general

табли́чка — plate, sign
куро́рт — health resort
передви́нуть (СВ, *что? куда?*) — to move smth

***

Еда́ так себе. Хотя́ мне э́то не интере́сно: де́ти меня́ ко́рмят шокола́дом, котле́тками и чем то́лько хоти́те. Зи́на про́сит, чтобы я так мно́го не ел, а то у меня́ бу́дет боле́ть живо́т. И ещё я могу́ попра́виться.

Хоте́л посла́ть Ки́ки откры́тку с приве́том... Но хозя́йка её о́чень ревну́ет — не переда́ст.

а то — otherwise
попра́виться (СВ) — to gain weight
ревнова́ть (НСВ, *кого?*) — be jealous

ЛЕКСИКО-ГРАММАТИЧЕСКИЕ УПРАЖНЕНИЯ

1. **Какие глаголы пропущены? Глаголы можно использовать несколько раз.**

> **плавать** (НСВ, *где?*)
> **купаться** (НСВ, *где?*)
> **заплывать/заплыть** (*куда?*) — to swim far out
>   буд. вр.: я заплыву, ты заплывёшь
> **тонуть/утонуть** (*где?*) — to sink, to drown
>   наст. вр.: я тону, ты тонешь

1. — Ты умеешь _____?
   — _____? Конечно, умею. Я ведь родился на море.
   — А я научился _____ только в школе, но уже неплохо _____.

2. — Давай _____ далеко, так, чтобы не было видно берега!
   — Что ты! Так далеко _____ опасно: здесь большая глубина, можно _____, даже если ты хорошо _____.

3. Дельфины _____ за горизонт, а потом возвращаются к берегу.

4. — Интересно, почему мячик не _____?
   — У него внутри воздух, поэтому он не может _____.

5. В жаркую погоду мы бежим на речку: плаваем, загораем, играем в волейбол.
   Те, кто не умеет плавать, _____ у берега. Чудесное лето!

41

> **подниматься/подняться** (*куда?*) — to go upstairs, to go up to the...
> **спускаться/спуститься** (*куда?*) — to go down
> **прыгать/прыгнуть** (*куда?*) — to jump

1. — Вы не туда попали. Кафедра этажом ниже. Можно _____ на лифте или вот здесь, по лестнице, вниз.

2. — Библиотека выше. Вам нужно _____ на четвёртый, там увидите. Лифт справа.

3. Лыжники знают, что _____ на большой скорости с горы — это самое большое удовольствие для спортсмена.

4. Альпинисты считают, что _____ с горы иногда труднее, чем _____.

5. Когда спортсмены _____ с вышки, кажется, что это очень легко. Но в первый раз страшно _____ даже с мостика, с небольшой высоты.

6. В этом году я _____ на высоту 1500 метров, а в следующем хочу _____ на 1800. Я долго шёл к этому рекорду.

7. На олимпиаде в Пекине Елена Исинбаева _____ на пять метров пять сантиметров. Так высоко спортсменки ещё никогда не _____.

2. А) Какое слово или словосочетание лишнее?

1) спустился, съехал, слетел, съел, сбежал
2) купаться, плавать, окунаться, раздеваться
3) снимать, фотографировать, позировать, делать снимки
4) передвинуть, перекусить, перевесить, переложить
5) переодеться, переменить, пересолить, перестелить
6) купальник, плавки, плащ, резиновая шапочка
7) поправиться, потолстеть, набрать вес, помолодеть

Б) Вы уже знаете (части 3 и 4), какие бывают породы собак. Продолжите ряд:

Фокс, _____, _____, _____, _____.

В) Фокс употребляет слова с уменьшительно-ласкательным суффиксом -ик. Найдите эти слова в тексте и впишите их в следующие предложения.

1. — Микки, привези мне с моря тёплый _____.
2. Почему вода в море солёная, а _____ пресный?
3. Я вытаскиваю из воды детские _____.
4. Зина бросает мне _____.

Г) Найдите в тексте слова с противоположным значением и выпишите их.

поссорился с детьми — _____ с детьми
бросать (палку в воду) — _____ (палку из воды)
спуститься — _____

3. А) Прочитайте объяснения слов из текста и напишите, какие это слова.

1

какой? какая? какие?

несолёная вода в реке или озере	вода
недобрые глаза	глаза
купальник в полоску	купальник
замечательный, исключительный, великолепный	

2

кто? что?

человек, который фотографирует за деньги	
доска, где что-нибудь написано: например, «Здесь купаться запрещено!»	
место у моря, где много людей отдыхает в домах отдыха, гостиницах и санаториях	

3

что делать? что сделать?

стать друзьями	
загорать	
снимают с себя одежду	
снимают одно, надевают на себя другое	
собака не умеет говорить, она умеет только ...	
выносить что-либо с трудом	
внимательно наблюдать за кем-нибудь	
очень быстро вбежала	в комнату
(жизнь) стала другой	жизнь
думать, что твой любимый человек любит другого, и поэтому мучиться	человек

4

как?

очень-очень хотел (прыгнуть)	хотел (разг.)

43

Б) Найдите в тексте эквиваленты выделенных слов и впишите их.

Меня знают **все люди на берегу**.	_____ меня знает.
Мужчины **носят белые костюмы**.	Мужчины _____
Еда **не очень**.	Еда _____

4. Повторите грамматику.

А) Вставьте предлоги, где это нужно. Обратите внимание, что на один и тот же вопрос можно ответить, используя разные предлоги.

ГДЕ?
родилась _____ моря
пуговицы _____ плече
играем _____ воде
сидят _____ песке
лежать _____ солнце
(одни) лежали _____ песке,
другие стояли _____ ними

КУДА?
влетела _____ комнату
побежал _____ знакомой болонке
едем _____ морю
(меня) везут _____ морю
бросать палки _____ воду
прыгать _____ воду

КАК? (без чего?)
купаюсь _____ костюма

ОТКУДА?
привезти _____ моря
вытаскивать _____ воды

КАКАЯ ?
вода _____ самого неба
открытка _____ приветом
табличка _____ названием

Б) Напишите вопросы к выделенным словам:

Модель: **в десять раз** больше — во сколько раз больше?

ходят **в купальных костюмах** — ходят _____?
лаю **на воду** — лаю _____?
бросает **в меня** мячик — бросает _____?
бросает **мне** мячик — бросает _____?
слежу **за ними** — слежу _____?
влюблена **в меня** — влюблена _____?
хорошо **ко мне** относится — хорошо относится _____?

5. А) Познакомьтесь с конструкцией!

Кто **К КОМУ** как **ОТНОСИТСЯ**? **относиться** (НСВ, *к чему?*) — be disposed to, treat smb. наст. вр.: я отношусь, ты относишься

Б) Напишите, кто к кому как относится. Можно использовать следующие слова: *замечательно, прекрасно, терпимо, плохо, очень плохо, хуже некуда.*

Модель: Бабушка **очень не любит** современную музыку.
Бабушка **плохо относится** к современной музыке.

1. В парке, рядом с домом, по выходным работает дискотека. В субботу и воскресенье жильцы не могут уснуть из-за громкой музыки.

_____

2. Дедушка читает газету и ругает министра транспорта. Он считает, что это самый плохой министр за последние 10 лет, а его реформы ничего не изменят.

_____

3. У нашей соседки три собаки: дог, сенбернар и болонка. Она собирается взять ещё и фокса. Вот что значит любить собак!

_____

4. Моя подруга не очень любит джаз, но иногда она может послушать его вместе со мной.

_____

5. Я не встречала людей, которые не любят летний отдых.

_____

6. **А) Познакомьтесь с конструкцией!**

```
вин. пад. + дат. пад. + инф.
ЧТО      ТЕБЕ      ПРИВЕЗТИ с моря?
```

Б) Напишите, какой вопрос был задан. В вопросе используйте инфинитивную конструкцию.

Модель: — Купи после работы чего-нибудь к чаю.
Что (мне) купить после работы?

1. _____ ?
— В поход? Обязательно возьми с собой анальгин, бинты и йод.

2. _____ ?
— Мы забыли поставить на стол только вазу с цветами. Поставь, пожалуйста! Кажется, больше ничего не забыли.

3. _____ ?
— Пригласи меня в ресторан. Это будет отличный подарок на день рождения!

4. _____ ?
— Ещё объясни, как найти файл, о котором мы говорили.

5. — Нет, мне не трудно будет передать эти книги. А _____ ?
— Скажи ему, что их надо вернуть в библиотеку через пять дней.

6. _____ сегодня?
— Почитай о Винни Пухе, а потом я быстро засну.

45

7. Соедините две части высказывания.

Микки поехал к морю вместе с Зиной,	а вдруг кто-нибудь утонет.
Микки обожает маленьких,	а потом весь день лежат на солнце.
Микки следит за теми, кто далеко заплывает, и очень волнуется,	и его жизнь сразу изменилась.
Дамы входят ненадолго в море,	чтобы себя открыть, а её закрыть.
Одна дама тихонько передвинула табличку к другой даме,	для них он вытаскивает кораблики из воды.

8. Учимся пересказывать!

Найдите соответствия между отрывками из текста и их пересказом.

Помните, что при пересказе мы, как правило не используем прямую речь!

Это мы прочитали.

Что мы узнали из текста?

Люди ходят почти голые, в полосатых купальных костюмах. Пуговицы на плече. Вообще глупо. Я, слава богу, купаюсь без костюма.

①

Лучше и интереснее жизни у Микки давно не было. Он на седьмом небе от счастья! Он нужен Зине: он вытаскивает для неё палку из воды. Он нужен детям: кто будет вытаскивать из воды детские кораблики? Весь берег любуется им, и он в центре внимания.

Ах, как мы с Зиной играем в воде! Я лаю на воду, она бросает в меня мячик, и я его вытаскиваю. (...) Я бегаю, вытаскиваю из воды детские кораблики, и весь берег меня знает.

②

Когда Микки сказали, что он едет к морю, он узнал у знакомой болонки, что море — это много воды, больше, чем в фонтане. Ещё он узнал, что там будет весело: ему будут бросать палки в воду, а он будет вытаскивать их. За это он привезёт Кики тёплый шарфик с моря.

Мужчины ходят в белых костюмах. (...) Плавают хорошо и очень далеко заплывают. Очень хорошо прыгают в воду с мостика. Я тоже поднялся (...) и хотел прыгнуть. Но так высоко! (...) Я тихонько спустился вниз.

③

Микки считает, что людям очень неудобно купаться в купальных костюмах. По его мнению, это глупо. Ещё он считает, что купаться нужно без всего, так удобнее.

— Кики, моя дорогая, меня везут к морю. Что это такое?

— О, это очень много воды. В десять раз больше, чем в фонтане. Тебе будут бросать в воду палки, а ты будешь вытаскивать их.

— Чудесно! Что тебе привезти с моря?

— Тёплый шарфик.

(4)

Микки нравятся мужчины: они хорошо плавают и далеко заплывают. Особенно ему нравится, как они смело прыгают с мостика. Один раз он хотел прыгнуть, как они, но у него не хватило смелости: поднялся, испугался и спустился.

9. Проверьте, как вы поняли текст.

А) Отметьте, какие из следующих высказываний правильные.

1. а) Микки не понимает, почему в море вода не такая, как в реке или дождике.
   б) Микки не понимает, почему дождик пресный.

2. а) Микки бегает по пляжу и играет с Зиной и детьми.
   б) Микки бегает по пляжу и играет со всеми.

3. а) Микки очень хорошо прыгает в воду с мостика.
   б) Микки хотел бы прыгнуть в воду с мостика.

4. а) Дамы любят фотографироваться группой.
   б) Дамы любят фотографироваться с табличкой.

5. а) Зина боится, что Микки съедает много шоколада.
   б) Зина боится, что Микки переедает.

Б) Найдите окончание предложения.

1. Жизнь Микки изменилась, потому что ... .
   а) Зина назвала его принцем
   б) его взяли на море
   в) болонка влюблена в него

2. Когда Микки увидел море, он понял, что представлял его себе ... .
   а) совсем по-другому
   б) до самого неба
   в) в двадцать раз больше фонтана

3. Фоксу нравится, что ... .
   а) вода в море солёная
   б) мужчины ходят в белых костюмах
   в) он всем нравится

4. Микки боится, что кто-нибудь из мужчин ... .
   а) прыгнет в воду с мостика
   б) утонет в открытом море
   в) увидит, как он испугался и не прыгнул с мостика

5. Фокс хотел прыгнуть в воду ... .
   а) головой вниз
   б) ногами вниз
   в) боком

6. Микки не послал болонке открытку, потому что ... .
   а) Кики всё неправильно рассказала о море
   б) у хозяйки Кики злые глаза
   в) хозяйка ревнует её и не передаст открытку

В) Найдите в тексте информацию и напишите ответы на вопросы.

1. Микки не согласен с Кики, что море — это много воды: в десять раз больше, чем в фонтане. Как он описывает море в своем дневнике?

_____

_____

2. Что на пляже делают мужчины? (Выпишите только глаголы с зависимыми словами.)

_____

_____

3. Чем на пляже занимаются дамы? (Выпишите только глаголы с зависимыми словами.)

_____

_____

4. За кем следит Микки? Как это его характеризует?

_____

_____

5. Микки снова доволен, что он не человек. Какая причина на этот раз?

_____

_____

6. Почему Микки поднялся на мостик? А почему спустился? Что значат его слова: «Вот какой ты, Микки!»?

_____

_____

7. Из-за чего у двух дам были злые глаза, когда они фотографировались?

_____

_____

8. Почему Микки, который любит поесть, не очень расстраивается, что еда на курорте так себе?

_____

_____

9. Почему он передумал посылать Кики открытку с приветом?

_____

_____

10. Напишите эссе на тему «Микки нравится на курорте» (50—70 слов).

_____

_____
_____
_____
_____
_____
_____
_____
_____
_____
_____
_____
_____
_____
_____
_____

Часть 5
В ЗООПАРКЕ

У Зи́ниного па́пы всегда́ дела́. У люде́й тако́й поря́док: за всё ну́жно плати́ть. За да́чу, за зо́нтик, за мя́со, за бу́лки — за всё. А что́бы плати́ть, нужны́ де́ньги. А что́бы име́ть де́ньги, на́до де́лать дела́. По́няли? И Зи́нин па́па пое́хал на неде́лю в Пари́ж, взял с собо́й Зи́ну, а Зи́на взяла́ меня́. И пока́ её па́па бе́гал по дела́м, Зи́на се́ла в такси́ и пое́хала со мной в зоопа́рк.

Ви́дели обезья́н. Подошли́ к ним, но они́ ужа́сно пло́хо па́хнут. Одна́ посмотре́ла на меня́ и говори́т друго́й: «Смотри́, како́й уро́д!» Я, коне́чно, оби́делся.

Тигр — проти́вный. Больша́я ко́шка и бо́льше ничего́. Он це́лую ва́нну молока́ вы́пьет, не ме́ньше. А пото́м съест моло́чника и пойдёт в Було́нский лес отдыха́ть.

Лев — сла́вный... Он совсе́м стари́к. Лы́сый, и да́же хвост не дви́гается. Зи́на чита́ла, что лев мо́жет подружи́ться с соба́чкой и жить с ней в одно́й кле́тке, но я хочу́ гуля́ть на свобо́де.

Ви́дел змею́, большу́ю и дли́нную. Она́ посмотре́ла на меня́ и ти́хо сказа́ла: «Э́того невозмо́жно проглоти́ть». У́жас!

поря́док — custom

плати́ть/заплати́ть (*за что?*) — to pay for smth.

пока́ (+ инф. НСВ) — while

обезья́на — monkey

уро́д — ugly creature

обижа́ться/оби́деться (*на кого?*) — to be hurt, to be offence with.

проти́вный — disgusting

сла́вный — very nice (разг.)

лы́сый — bald-headed

кле́тка — cage

змея́ — snake

проглоти́ть (СВ, *кого?*) — to swallow

Сла́ва бо́гу, что я фокс. Соба́к в кле́тки не сажа́ют.

Люде́й в кле́тках то́же не ви́дел. Но туда́ на́до посади́ть на́шего садо́вника и его́ жену́ и написа́ть «Соба́чьи враги́». Почему́ они́ меня́ не корми́ли?

По́здно уже́. Пора́ идти́ спать. А в голове́ у меня́ ра́зная чепуха́: обезья́ны, зме́и, львы и ти́гры...

сажа́ть/посади́ть (кого? куда?) — to put smb., to lock smb. up, to cage
враг — enemy

чепуха́ — nonsense

ЛЕКСИКО-ГРАММАТИЧЕСКИЕ УПРАЖНЕНИЯ

1. Какие глаголы пропущены? Глаголы можно использовать несколько раз.

> **сажать/посадить** (*кого? что? куда?*) — to seat smb., to put, to lock smb.
> буд. вр.: я посажу, ты посадишь
> **садиться/сесть** (*куда?*) — to seat down
> наст. вр.: сажусь, садишься
> пр. вр.: сел, села, сели

1. У нас в клетке живёт попугай. Иногда мы ему разрешаем полетать по комнате, но потом опять _____ в клетку, и он всегда недоволен.

2. Малолетних преступников не надо _____ в тюрьму, они ещё могут исправиться. _____ в тюрьму нетрудно, намного труднее помочь человеку стать другим.

3. Детей в школе учат, что нельзя разговаривать на улице с незнакомыми, нельзя _____ в чужую машину, нельзя открывать дверь чужим людям.

4. — Рады вас видеть в нашем ресторане. Сейчас мы вас _____. Можете _____ за этот столик у окна или там, у сцены, где хотите.

5. — Слава богу, я успела на работу: _____ в автобус в последнюю минуту.

6. — _____ зверей в клетки — преступление.

7. Эти двое на уроке всё время разговаривают и не слушают. Их надо _____ подальше друг от друга, тогда они будут хорошо работать.

8. Мы вошли в самолёт последними. Нас _____ на свободные места, а мы хотели _____ у окошка.

2. А) Какое слово или словосочетание лишнее?

1) одна, другая, красивая, третья
2) дела, обязанности, занятия, желания
3) клетка, камера, помещение, поле
4) противный, уродливый, славный, неприятный
5) проглотить, убить, съесть, скушать
6) бегать по двору, бегать по делам, бегать по городу, бегать по пляжу

Б) Найдите в тексте фразы с противоположным значением и выпишите их.

Зининому папе всегда нечего делать. — _____
Папа сидел дома и ничего не делал. — _____

В) Из текста вы уже знаете названия некоторых животных: *обезьяна (обезьяны), лев (львы), тигр (тигры), змея (змеи)*. Впишите эти слова в правильной падежной форме в единственном и множественном числе.

1. Вчера в зоопарке я видел _____ , _____ , _____

и _____ .

2. Вчера в зоопарке я видел _____ , _____ , _____

и _____ .

3. Прочитайте объяснения слов из текста и напишите, какие это слова.

1

какой? какая? какие?

очень неприятный	
полная ванна молока	ванна молока
не имеющий волос на голове	
враги собаки	враги

2

что?

(у людей) такая система	(у людей) такой
место, куда городские дети ходят, чтобы посмотреть на диких животных	
человек, который продает молоко	
очень старый человек	
очень некрасивый физически человек	
абсурд, ерунда, пустяки	

3

что делать? что сделать?

заниматься делами	
взять такси и поехать	в такси и поехать
почувствовать боль, когда кто-то сказал несправедливые слова о тебе	
съесть быстро, в один момент	

4. Повторите грамматику:

А) Вставьте предлоги, где это нужно. Обратите внимание, что на один и тот же вопрос можно ответить, используя разные предлоги.

ГДЕ?
жить _____ одной клетке
гулять _____ свободе
_____ голове _____ меня разная чепуха

КУДА?
поехал _____ Париж
бегал _____ делам
села _____ такси и поехала _____ зоопарк

Б) Напишите вопросы к выделенным словам.

платить **за всё** — платить _____?

поехал **на неделю** — поехал _____?

подошли **к обезьянам** — подошли _____?

посмотрела **на меня** — посмотрела _____?

подружиться **с собачкой** — подружиться _____?

5. **А) Познакомьтесь с конструкцией!**

> пора + инф. НСВ
> **ПОРА СПАТЬ** — it's time ...

Б) Прочитайте следующие фразы. Напишите, что нужно делать в данных ситуациях.

Модель: У нас сломался будильник.

(Нам) **пора покупать** новый.

1. Мы засиделись в гостях и не заметили, как пролетело время.

   _____

2. Вадиму уже сорок, а он до сих пор не женат.

   _____

3. Дети уже выросли, и нам не нужен такой большой дом.

   _____

4. Уже пахнет весной. Шубы не нужны.

   _____

5. Купили ёлку, достали коробки с ёлочными игрушками.

   _____

6. В кризис можно выгодно вложить деньги. Акции дешевеют с каждым днём.

   _____

6. **А) Познакомьтесь с конструкцией!**

> НСВ (!)
> **ПОКА ПАПА РАБОТАЛ, ...**
> СВ
> А) Зина поехала в зоопарк.
> НСВ
> Б) Зина отдыхала.

Б) Измените фразы так, чтобы указать отрезок времени, необходимый для выполнения действия.

Модель: Виктор работал на стройке. За это время он накопил на машину.

Пока Виктор работал на стройке, он накопил на машину.

1. Ты гулял. В это время тебе дважды звонили из Москвы.

_____

2. Джон долго работал за границей. В это время появилось много новых интересных фильмов, книг и театральных постановок.

_____

_____

3. Одни стареют. В это время другие растут.

_____

4. Родители живы. И в это время ты чувствуешь себя ребёнком.

_____

5. Старший брат служил в армии. За это время младший окончил университет.

_____

7.   **А) Познакомьтесь с конструкцией!**

┌───┐
│   │
│   ЧТОБЫ + инф., НУЖНО + инф.   │
│   ЧТОБЫ + инф., НУЖЕН (-а, -о, -ы) + им. пад. │
│   **ЧТОБЫ** платить, **НУЖНЫ** деньги.   │
│   **ЧТОБЫ** иметь деньги, **НУЖНО** работать. │
│   │
└───┘

Б) Напишите, в чём мы нуждаемся, чтобы...

1. Чтобы жить, _____ .
2. Чтобы сделать бутерброд, _____ .
3. Чтобы построить дом, _____ .
4. Чтобы вовремя встать, _____ .
5. Чтобы забыть обиду, _____ .

В) Напишите, что нужно (с)делать, чтобы...

1. Чтобы поехать в зоопарк, _____ .
2. Чтобы выпить целую ванну молока, _____ .
3. Чтобы подружиться с собачкой, _____ .
4. Чтобы прекрасно играть на гитаре, _____ .
5. Чтобы не поправляться, _____ .

8. Соедините две части высказывания.

У людей такой порядок:	за то, что они меня не кормили.
Пока папа бегал по делам,	даже хвост у него не двигается.
Я обиделся на обезьяну, когда	за всё нужно платить.
Лев такой старик, что	«Этого невозможно проглотить».
Микки ужаснулся, когда змея сказала:	Зина поехала со мной в зоопарк.
В клетку надо посадить садовника и его жену	она назвала меня уродом.

9. Учимся пересказывать!
Найдите соответствия между отрывками из текста и их пересказом.
Помните, что при пересказе мы, как правило, не используем прямую речь!

Это мы прочитали.

Что мы узнали из текста?

У людей такой порядок: за всё нужно платить. За дачу, за зонтик, за мясо, за булки — за всё. А чтобы платить, нужны деньги. А чтобы иметь деньги, надо делать дела. Поняли? И Зинин папа поехал на неделю в Париж.

1

Микки был с Зиной в зоопарке. Там он увидел зверей, которые сидят в клетках. Его это испугало: он всегда ценил свободу. Попасть в клетку он не боится, потому что собак и людей в клетки не сажают.

Тигр — противный. Большая кошка и больше ничего. Он целую ванну молока выпьет, не меньше. А потом съест молочника и пойдёт в Булонский лес отдыхать.

2

Микки очень хорошо понимает принцип человеческой жизни: чтобы жить, нужно работать. Тогда у человека есть деньги, и он может за всё заплатить. У него будет всё, что нужно: дача, мясо и зонтик. Папе надо работать, вот почему он уехал с курорта в Париж.

Слава богу, я фокс. Собак в клетки не сажают. Людей в клетках я тоже не видел. Но туда надо посадить нашего садовника и его жену и написать «Собачьи враги». Почему они меня не кормили?

3

Микки — собака, а собаки никогда не дружили с кошками. Тигр для фокса — большая кошка, поэтому он личный враг Микки. А враг способен на всё: он спокойно может съесть человека (молочника) и даже не подумает извиниться. Тигр — противный.

10. Проверьте, как вы поняли текст.

А) Отметьте, какие из следующих высказываний правильные.

1. а) Люди знают, что надо делать дела, чтобы за всё платить.
   б) Люди знают, что всегда надо иметь деньги, чтобы делать дела.

2. а) Обезьяны считают Микки не очень красивым.
   б) Обезьяны считают Микки ужасно некрасивым.

3. а) Тигр планирует съесть молочника, а потом отдыхать в Булонском лесу.
   б) Тигр съест молочника только в фантазиях Микки.

4. а) Зина читала, что лев подружился с собачкой и жил с ней в одной клетке.
   б) Микки считает, что лев может подружиться с собачкой и жить с ней в одной клетке.

5. а) Микки думает, что людей не нужно сажать в клетку.
   б) Микки думает, что некоторых людей нужно сажать в клетку.

Б) **Найдите окончание предложения.**

1. Зинин папа поехал в Париж, чтобы ... .
   а) заплатить за дачу, за зонтик и за булки
   б) делать дела и иметь деньги
   в) не нарушать существующий порядок

2. Микки поехал в зоопарк с Зиной ... .
   а) на трамвае
   б) на папиной машине
   в) на такси

3. Обезьяны оценивают ... .
   а) внешность Микки
   б) его поведение
   в) отношение Микки к ним

4. Змея оценивает фокса как ... .
   а) своего потенциального противника
   б) потенциальный обед
   в) своего слабого партнёра

5. Фоксу надо идти спать, потому что ... .
   а) в голове у него разная чепуха
   б) у людей такой порядок
   в) уже поздно

В) **Найдите в тексте информацию и напишите ответы на вопросы.**

1. Как вы думаете, почему Зина взяла Микки в зоопарк?

_____

2. На какие группы Микки делит всех зверей, которых он видел в зоопарке?

_____

3. Чем ему не понравились обезьяны и змея?

_____

4. А почему не понравился тигр? Была причина?

_____

5. Микки, в общем-то, добрая собака. И ещё свободолюбивая. В чём это выражается?

_____

6. За что и как Микки хочет отомстить садовнику и его жене? Вы на его стороне, или он не прав?

_____

7. Почему Микки так взволнован? Что ему мешает спать? Как вы думаете, почему?

_____

8. Вы были в зоопарке? Каковы ваши впечатления?

_____

_____

_____

11. Напишите эссе на тему «Впечатления Микки от зоопарка» (50—70 слов).

_____

_____

_____

_____

_____

_____

_____

_____

_____

_____

_____

_____

_____

Часть 6
КАК Я ЗАБЛУДИ́ЛСЯ

Ах, что случи́лось! В кино́ э́то называ́ется «траге́дия», а по-мо́ему, ещё ху́же. Мы верну́лись из Пари́жа на пляж, и я немно́го сошёл с ума. Пры́гал, бе́гал за детьми́ и ра́достно ла́ял. К чёрту зоопа́рк, да здра́вствует соба́чья свобо́да!

И вот... Я поверну́л напра́во, уви́дел како́й-то парк, пото́м попа́л в чужо́й огоро́д, пото́м вы́шел на доро́гу. И где я? Я заблуди́лся, сел на доро́гу и не знал, что де́лать. Я запла́кал. И ужа́снее всего́: я го́лый! Оше́йник оста́лся до́ма, а на оше́йнике — мой а́дрес. Люба́я де́вочка прочита́ла бы его́ и привела́ бы меня́ домо́й. Мо́жет быть, кто́-нибудь помо́жет?

Я не оши́бся. Из одного́ до́ма вы́шла де́вочка, подошла́ ко мне и присе́ла передо мной.

— Что с тобо́й, соба́чка? Заблуди́лась? Хо́чешь ко мне? Мо́жет быть, тебя́ ещё найду́т. Ма́ма у меня́ до́брая, а па́пу мы уговори́м.

Я пошёл за де́вочкой. Е́сли она́ когда́-нибудь заблу́дится, я её то́же обяза́тельно приведу́ домо́й.

сойти́ с ума́ (СВ) — to go mad

К чёрту! — To hell with it!

Да здра́вствует! — Long live!

поворачивать/поверну́ть
(куда?) — to turn
заблуди́ться (СВ) — lose one's
way, get lost
оше́йник — collar
приводи́ть/привести́ (пр. вр:
привёл, привела́) — to take
smb. home

угова́ривать/уговори́ть
(кого?) — to persuade smb.

— Ма́ма, ма́мочка! Я привела́ Фифи́, она́ заблуди́лась. Мо́жно оста́вить её у нас?

Ма́ма улыбну́лась:

— Кака́я хоро́шенькая! Дай ей молока́ с бу́лкой. У неё о́чень дома́шний вид. А там посмо́трим.

«У неё»... «У него́», а не «у неё». Я ма́льчик! Но я не показа́л, что оби́делся: мне ужа́сно хоте́лось есть.

Пото́м пришёл па́па.

— Что э́то за соба́ка? Что у тебя́ за мане́ра, Лили́, брать всех звере́й к нам на ви́ллу? Мо́жет быть, она́ больна́я... Вон отсю́да!

Я сде́лал шаг к две́ри. Но ма́ма стро́го посмотре́ла на па́пу, и он пошёл чита́ть свою́ газе́ту. Съел?

**

Но́вый па́па де́лает вид, что меня́ не замеча́ет. Я его́ — то́же. Во сне ви́дел Зи́ну и зала́ял от ра́дости; она́ корми́ла меня́ чем-то вку́сным и говори́ла:

— Е́сли ты ещё оди́н раз заблу́дишься, я не вы́йду за́муж.

Лили́ проснýлась и спроси́ла:

— Фифи́, ты чего́?

оставля́ть/оста́вить *(кого?)* — to leave

Что за... мане́ра? — What manner is it?
зверь — wild animal
ви́лла — villa
Вон отсю́да! — Get out!
Съел? — Swallow up? Eat up?

де́лать вид — to pretend
замеча́ть/заме́тить *(кого?)* — to notice smb.

59

Ничего, страдаю. Кошке всё равно: сегодня Зина, завтра Лили. А я честная собака и уже второй день без Зины. Ах, когда же меня найдут?

страдать (НСВ) — to suffer

***

Лили вышла со мной на пляж. И вдруг вдали я увидел белое платьице, полосатый мяч и светлую головку. Зина!

Как мы целовались и плакали! Лили тихо подошла и спросила:

— Это ваша Фифи?

— Да, только это не Фифи, а Микки...

— Ах, Микки! Извините, я не знала. Разрешите вам её передать. Она заблудилась, и я взяла её к себе...

А у самой в глазах «трагедия».

Но Зина её утешила. Поблагодарила очень-очень-очень и обещала приходить со мной к ней в гости. Я по глазам понял, что они подружатся.

А сам дал Лили переднюю лапку: благодарен. Очень-очень-очень...

платье (платьице) — dress (small nice dress)

утешать/утешить (кого?) — to comfort smb.

подружиться (СВ, с кем?) — to make friends with

ЛЕКСИКО-ГРАММАТИЧЕСКИЕ УПРАЖНЕНИЯ

1. Какие глаголы пропущены? Глаголы можно использовать несколько раз.

> **поворачивать/повернуть** (*куда?*) — to turn
> **заблудиться** (СВ) — lose one's way, get lost
> **попадать/попасть** (*куда?*) — to get (to), to get (into)
> > пр. вр.: попал, попала, попали
> **находить/найти** (*кого?*)
> > пр. вр.: нашёл, нашла, нашли
> > буд. вр.: найду, найдёшь

1. Здесь _____ запрещено, можно ехать только прямо.

2. Машина _____ с кольцевой дороги налево, и мы _____ в удивительно тихое место: велосипедисты, маленькие улочки и никаких машин.

3. Мой друг _____ в неприятную ситуацию: магазины закрыты, а идти на день рождения без подарка неудобно.

4. _____ в большом городе нетрудно, а вот _____ нужную улицу — не всегда просто.

5. Мы опоздаем, потому что _____ в пробку. Надо было ехать по параллельной улице, там всегда меньше машин.

6. — Простите, как _____ на улицу Маяковского? Мы не можем её _____ уже полчаса.

7. Если вы не хотите _____ в незнакомом городе, обязательно возьмите с собой карту и разговорник. В трудную минуту это поможет.

8. Я _____ отличный ресторан, рядом с нами, за углом. Там можно недорого и вкусно пообедать. Сегодня же и пообедаем!

> **оставаться/остаться** (*где? у кого?*) — to stay, stay (for)
> **оставлять/оставить** (*кого? что? у кого?*) — to leave
> **приводить/привести** (*кого? куда? к кому?*) — to take smb.
> > пр. вр.: привёл, привела, привели
> > буд. вр.: приведу, приведёшь

1. — Могу я _____ эти книги у тебя до завтра? По дороге в библиотеку заберу. — Конечно, можешь _____, не надо было даже спрашивать.

2. — Уже поздно, метро через пятнадцать минут закроется. Тебе лучше _____ у меня, утром уедешь.

3. Моя подруга не может пройти мимо бездомной собаки. Она _____ их всех домой, а потом устраивает в специальный приют для собак.

4. Если вы _____ в дом и _____ её у себя, вы должны о ней заботиться. Она уже член вашей семьи.

5. — Дорогая, я звоню с работы, у нас много дел, я должен _____ и поработать часов до двенадцати. Да, никто не ушёл, _____ все, даже начальник. Не волнуйся!

6. — Профессор, вы должны послушать, как поёт эта девочка. Очень талантливая. Я _____ её к вам в понедельник, если вам удобно.

2. **Какое слово или словосочетание лишнее?**

1) залаял, закричал, заблудился, заплакал
2) привела, принесла, присела, привезла
3) страдаю, мучаюсь, удивляюсь, переживаю
4) уговорить, угодить, убедить, сагитировать
5) Всё понял? Съел? Получил? Выпил?
6) сошёл с поезда, сошёл с парохода, сошёл с ума, сошёл с парома (на берег)

3. **А) Прочитайте объяснения слов из текста и напишите, какие это слова.**

1

кто? что?

растут картошка, капуста, огурцы и другие овощи	
кожаный ремешок на шее у домашней собаки	
дикое (не домашнее) животное, которое обычно живёт в лесу в лесу	

2

что делать? что сделать?

(что) произошло?	(что)	?
потерялся		
выслушал обидные слова и промолчал		(прост.)
из глаз полились слёзы	он	
сделал ошибку		
упросить, убедить, заставить кого-либо согласиться сделать то, что он раньше не хотел делать		
не видит, не обращает внимания (на меня)	не	(меня)
мучиться		
сказать «спасибо»		
сказать тёплые слова, успокоить		

как?

очень хочется есть	хочется есть

Б) Найдите в тексте эквиваленты выделенных слов и впишите их.

Уходи отсюда!	отсюда! (разг.)
Мне не нравится твоя манера брать зверей к нам на виллу!	брать зверей к нам на виллу?
Не понимаю, **почему здесь незнакомая собака?**	
Пусть уйдут мысли о зоопарке! Не хочу о нём думать!	
Фифи, **почему** ты залаял?	Фифи, ? (прост.)
Для кошки это **неважно.**	Кошке
Можно вам её передать?	вам её передать.
Я **увидел их глаза** и понял, что они подружатся.	Я понял, что они подружатся.
Пусть всегда будет свобода!	свобода!

4. **Повторите грамматику:**

А) Вставьте предлоги, где это нужно. Обратите внимание, что на один и тот же вопрос можно ответить, используя разные предлоги.

ГДЕ?
_____ кино
_____ ошейнике
оставить (собаку) _____ нас
(видел) _____ сне

ОТКУДА?
_____ одного дома

КУДА?
вернулись _____ Парижа _____ пляж
попал _____ чужой огород
вышел _____ дорогу, сел _____ дорогу
Хочешь _____ мне?
брать всех _____ нам _____ виллу
взять _____ себе
сделал шаг _____ двери

Б) Напишите вопросы к выделенным словам:

бегать **за детьми** — бегать _____ ?
пойти **за девочкой** — пойти _____ ?
присела **передо мной** — присела _____ ?
дать ей молока **с булкой** — дать ей молока _____ ?
строго посмотрела **на папу** — строго посмотрела _____ ?
залаял **от радости** — залаял _____ ?

5. **А) Познакомьтесь с конструкцией!**

> если   +   буд. вр.   +   буд. вр.
> **ЕСЛИ** ты **ПОТЕРЯЕШЬСЯ**, я **НАЙДУ ТЕБЯ**.

Б) Найдите в тексте и выпишите предложения с данной конструкцией.

_____

_____

_____

6. **А) Что кто сделает (или, наоборот, не сделает), по мнению Микки, в следующих ситуациях?**

Модель: Если меня посадят в клетку, ...
            Если меня посадят в клетку, я убегу.

1. Если мне дадут косточку, _____ .
2. Если папе дадут сырую котлетку, _____ .
3. Если я испугаю мышонка, _____ .
4. Если Микки попадёт под машину, _____ .
5. Если я поднимусь на мостик, _____ .
6. Если меня ещё раз возьмут в зоопарк, _____ .
7. Если мама строго посмотрит на папу, _____ .

Слова для справок: (я) не пойти смотреть на обезьян, (кто) вспомнить о нём, (он) обидеться, (я) оставить её на вечер, (я) не простить себе этого, (я) смочь прыгнуть, (он) сделать всё, что она хочет.

Б) Закончите следующие предложения.

1. Если Микки останется один, _____ .
2. Если мыши съедят дневник Микки, _____ .
3. Если Микки полюбит кого-нибудь, _____ .
4. Если Микки пошлёт Кики открытку, _____ .
5. Если Микки далеко заплывёт, _____ .
6. Если Микки рассердится, _____ .

7. **Соедините две части высказывания.**

Если бы ошейник не остался дома,	потому что ему ужасно хотелось есть.
Если ты заблудилась, собачка,	и сделал шаг к двери.
Микки не показал, что обиделся,	меня бы сразу нашли по адресу на ошейнике.
Фокс притворился, что хочет уйти,	когда Зина забирала меня домой.
У Лили в глазах была «трагедия»,	мы уговорим папу тебя взять.

8. Учимся пересказывать!

Найдите соответствия между отрывками из текста и их пересказом.

Помните, что при пересказе мы, как правило, не используем прямую речь.

Это мы прочитали.

Что мы узнали из текста?

Мы вернулись из Парижа на пляж, и я немного сошёл с ума. Прыгал, бегал за детьми и радостно лаял. К чёрту зоопарк, да здравствует собачья свобода!

(1)

Микки потерялся и не мог найти дорогу домой — заблудился. В этой ситуации он повёл себя как домашняя собака: сел на дорогу и заплакал. Нужно было искать свой дом, а он ждал помощи от людей. Он был без ошейника, поэтому чувствовал себя голым и беспомощным, ведь на ошейнике был его адрес. Микки очень-очень расстроился!

Я заблудился. Сел на дорогу и не знал, что делать. Я заплакал. И ужаснее всего: я голый! Ошейник остался дома, а на ошейнике мой адрес. Любая девочка прочитала бы его и привела бы меня домой. Может быть, кто-нибудь поможет?

(2)

Хотя в доме Лили Микки кормят, с Микки играют, он страшно скучает без Зины. Он видит её во сне, он страдает без неё. Он не может поменять Зину на Лили и ждёт, когда Зина его найдёт.

Из одного дома вышла девочка подошла ко мне и присела передо мной.
— Что с тобой, собачка? Заблудилась? Хочешь ко мне? Может быть, тебя ещё найдут. Мама у меня добрая, а папу мы уговорим.
Я пошёл за девочкой. Если она когда-нибудь заблудится, я её тоже обязательно приведу домой.

(3)

Когда Микки после Парижа и зоопарка снова попал на пляж, он ужасно обрадовался. Казалось, что он сошёл с ума. Он прыгал, бегал за детьми и радостно лаял. Микки был счастлив, он забыл о зоопарке и клетках. Микки радовался своей свободе.

Во сне видел Зину и залаял от радости. (...) Лили проснулась и спросила:
— Фифи, ты чего?
Ничего, страдаю. Кошке всё равно: сегодня Зина, завтра Лили. А я честная собака и уже второй день без Зины. Ах, когда же меня найдут?

(4)

Одна девочка увидела Микки и поняла, что он заблудился. Ей было жаль Микки, и он ей понравился, поэтому она захотела взять его к себе. От неё Микки узнал, что мама не будет против, а папу можно уговорить. Микки пошёл за девочкой. По дороге он думал, как её отблагодарить: если она когда-нибудь заблудится, он её тоже приведёт домой.

---

9. **Проверьте, как вы поняли текст.**

А) Отметьте, какие из следующих высказываний правильные.

1. а) Трагедия — это когда ошейник Микки остался дома.
   б) Трагедия — это когда Микки не знает, где его ошейник.

2. а) Микки не ошибся, когда решил, что ему кто-нибудь поможет.
   б) Микки не ошибся, когда решил, что из дома выйдет какая-нибудь девочка и возьмёт его к себе.

3. а) Мама сразу разрешила Лили взять собаку насовсем.
   б) Мама не была уверена, всегда ли собака будет жить у них.

4. а) В семье Лили главная — мама, она всё решает.
   б) В этой семье главное — Лили и её желания.

5. а) Микки уверен, что Зина может без него прожить.
   б) Микки уверен, что Зина готова на всё ради него.

Б) Найдите окончание предложения.

1. В жизни Микки случилась трагедия: ... .
   а) он вышел на дорогу и заплакал
   б) он немного сошёл с ума
   в) он понял, что заблудился

2. Мама Лили приняла фокса в дом, потому что ... .
   а) у него вид домашней собаки
   б) собака оказалась девочкой
   в) собака была голодной

3. Папа не любит фокса, потому что ... .
   а) не замечает его
   б) боится, что собака больна
   в) Микки тоже не замечает его

4. Фокс страдает из-за того, что ... .
   а) он еще не привык к Лили
   б) его называют Фифи
   в) его ещё не нашла хозяйка

5. Микки узнал Зину ... .
   а) по платьицу и светлой головке
   б) по полосатому мячу
   в) по голосу

6. У Лили своя трагедия в жизни: ... .
   а) она теперь не увидит Микки
   б) Микки её совсем не любит
   в) у неё забрали Микки

В) Найдите в тексте информацию и напишите ответы на вопросы.

1. Почему Микки потерял осторожность, когда гулял один?

_____

2. «Голый» — для человека это значит «без одежды». А что такое «быть голым» для собаки?

_____

3. Почему Лили была уверена, что ей разрешат взять фокса?

_____

4. Докажите, что фокс прекрасно понимает, кто в семье главный и как надо вести себя с
каждым из членов семьи.

_____

5. Какие у Микки отношения с папой?

_____

6. Какие сны снятся Микки? Почему он страдает?

_____

7. Кто кого нашёл: Зина Микки или Микки Зину? Где? Как?

_____

8. Для кого эта встреча была счастьем, а для кого — наоборот? Докажите, почему это так.

_____

9. Лили и Зина — очень хорошие девочки. Вы тоже так думаете? Почему?

_____

10. Напишите эссе на тему «Трагедия в жизни Микки» (50—70 слов).

_____
_____
_____
_____
_____
_____
_____
_____
_____
_____
_____
_____
_____
_____
_____

Часть 7
В ЦИРКЕ

К нам прие́хал цирк. Зи́нин па́па купи́л нам биле́ты в ло́жу. Всё бы́ло ви́дно о́чень хорошо́. Снача́ла бы́ло пе́рвое отделе́ние.

ло́жа — box

Кло́уны мне не понра́вились. Ра́зве бу́дет у́мный челове́к так себя́ вести́ и ка́ждому меша́ть? Совсе́м не смешно́. Мне понра́вилось то́лько, что у одного́ кло́уна сза́ди бы́ло нарисо́вано на брю́ках со́лнце, а во́лосы на голове́ снача́ла са́ми встава́ли, а пото́м па́дали. О́чень интере́сный но́мер!

вести́ себя́ (НСВ) — to behave

но́мер — item, piece

Пото́м поста́вили большу́ю кле́тку, и вы́шли львы. Вы́шли... и зева́ют. Ра́зве э́то зве́ри? Они́ до́лго не хоте́ли пры́гать. Дрессиро́вщица их угова́ривала, что́-то шепта́ла им на у́хо. Они́ наконе́ц согласи́лись — и пры́гнули. Но э́то был обма́н. Я сам ви́дел у неё в руке́ ма́ленький кусо́чек мя́са. Неинтере́сно!..

кле́тка — cage
зева́ть (НСВ) — to yawn
угова́ривать/уговори́ть (кого?) — to persuade smb.
обма́н — trickery, lies

Пото́м вы́шла семья́ эквилибри́стов. Па́па ката́лся на большо́м колесе́ от велосипе́да, ма́ма — на друго́м колесе́, а сын и до́чка — на ма́леньких. Вот э́то здо́рово! Я да́же зала́ял от ра́дости. А в конце́ они́ постро́или пирами́ду. Внизу́ — па́па и ма́ма, на плеча́х — две до́чки, у них на плеча́х ма́льчик, у него́ на плеча́х соба́чка, у соба́чки на плеча́х... котёнок.

эквилибри́ст — rope-walker
колесо́ — wheel
Здо́рово! — Fine!

Бра́во! Бис! Гав!

***

В антра́кте бы́ло ве́село. Антра́кт — э́то когда́ одно́ отделе́ние ко́нчилось, а друго́е ещё не начало́сь. Де́ти на аре́не игра́ли в цирк, а я бе́гал за ни́ми как ненорма́льный.

Второ́е отделе́ние откры́л факи́р. Факи́р — э́то челове́к, кото́рый сам себя́ ре́жет, и ему́ да́же прия́тно, и кровь не идёт. А пу́блика аплоди́рует.

В конце́ представле́ния была́ ма́ленькая лоша́дка. Я не знал, что есть така́я поро́да ма́леньких лоша́док. Она́ так чуде́сно пры́гала и ходи́ла на за́дних нога́х, что Зи́на пришла́ в восто́рг. Я то́же.

Удивля́юсь, почему́ Зи́нин па́па не мо́жет купи́ть ей таку́ю лоша́дку. Мы бы ката́лись вме́сте по пля́жу. И все бы о́чень удивля́лись, и я бы получа́л мно́го са́хару...

— Кто е́дет?
— Ми́кки с Зи́ной!
— Чья лоша́дка?
— Ми́кки с Зи́ной!
Чуде́сно! А тепе́рь побегу́ на пляж игра́ть в цирк.

антра́кт — interval, intermission
аре́на — circus ring

отделе́ние — part
ре́зать/поре́зать (*кого?* наст. вр.: я ре́жу, ре́жешь) — to cut smth.
представле́ние — performance

восто́рг — delight

ЛЕКСИКО-ГРАММАТИЧЕСКИЕ УПРАЖНЕНИЯ

1. **Какое слово или словосочетание лишнее?**

1) партер, ложа, балкон, зеркало, сцена
2) первое отделение, антракт, арена, второе отделение
3) факиры, эквилибристы, менеджеры, клоуны, дрессировщики
4) представление, шоу, ария, выступление
5) обман, ложь, тайна, неправда

2. **Напишите, какое действие совершено.**

1. Эквилибристы встали на плечи друг другу, получилась пирамида.
   Они _____ пирамиду.

2. У девочки из пальца идёт кровь, потому что она неосторожно взяла нож.
   Девочка _____ палец.

3. Минуту назад спортсмен стоял на трамплине, готовился выступать. Вот он уже в воде.
   Спортсмен _____ в воду.

3. **А) Прочитайте объяснения слов из текста и напишите, какие это слова.**

1

какой? какие?

у лошади спереди — передние ноги, а сзади ...	ноги
неглупый человек	человек
папа Зины	папа
лошадь, которая по размеру меньше обычной	лошадь

2

что?

часть представления	
выступление одного или группы артистов цирка	
перерыв между отделениями	
артист цирка, который выступает на арене с животными	
у велосипеда их обычно два	
сумасшедший	

что делать? что сделать?

хлопать, бить в ладоши	
сосед не даёт мне заниматься	сосед мне заниматься
широко открывать рот, когда хочется спать	
говорить очень тихо	
сказать, что сделаешт что-то	он

4

как?

очень хорошо, прекрасно	

Б) Найдите в тексте эквиваленты выделенных слов и впишите их.

Совсем **не хочется смеяться**.	Совсем
Зина **почувствовала огромную радость**.	Зина
Они **не похожи на зверей**.	это звери?
Но это было **неправдой**.	Но это был

4. Повторите грамматику:

А) Вставьте предлоги, где это нужно. Обратите внимание, что на один и тот же вопрос можно ответить, используя разные предлоги.

ГДЕ?
(нарисовано) солнце _____ брюках
волосы _____ голове
видел _____ неё _____ руке
катался _____ большом колесе
_____ плечах — две дочки
(лошадка) ходила _____ задних ногах
кататься _____ пляжу

КУДА?
(цирк) приехал _____ нам
(купил) билеты _____ ложу
шептать _____ ухо
побегу _____ пляж

ПОЧЕМУ? ОТЧЕГО?
залаял _____ радости

КОГДА?
_____ конце представления
_____ антракте

КАКОЕ?
колесо _____ велосипеда

Б) Напишите вопросы к выделенным словам.

играть **в цирк** — играть _____?
бегал **за ними** как ненормальный — бегал _____?

5. А) **Познакомьтесь с конструкцией!**

> Дат. пад. + вин. пад. + видно (слышно)
> **МНЕ ВСЁ** (было, будет) хорошо **ВИДНО.** (= Я всё хорошо вижу.)
> **МНЕ ВСЁ** (было, будет) хорошо **СЛЫШНО.** (= Я всё хорошо слышу.)

Б) **Видно или слышно? Напишите.**

1. Позавчера мы ходили на балет. Наши места были на балконе. Мы боялись, что оттуда будет плохо _____ , но было _____ прекрасно.

2. — О чём ты спросил? Повтори, пожалуйста. Здесь так громко играет музыка, что ничего не _____ .

3. — _____ (ты) хорошо _____ сцену? Ты не хочешь пересесть на моё место? — Спасибо, не надо. Отсюда хорошо всё _____ , не беспокойся.

4. — Сделай, пожалуйста, погромче, _____ (я) ничего не _____ . Спасибо, так хорошо.

5. — Этот концертный зал недавно построили, в нём прекрасная акустика. Не надо покупать дорогие билеты, там везде хорошо _____ .

6. — Петров, учителю всегда всё _____ и _____ . Не решай, пожалуйста, задачу за Аню. Пусть она сама её решит.

7. Вчера я проснулся рано и вышел в сад. Было _____ , как пели птицы и где-то вдалеке шёл поезд.

6. А) **Познакомьтесь с конструкцией!**

> инф. + *от чего?*
> залаять **ОТ РАДОСТИ**

Б) **Прочитайте следующие фразы. Напишите, почему Микки поступил так или иначе.**

Модель: Пёс бегал за детьми и прыгал. Он был очень рад.
Пёс бегал за детьми и прыгал **от радости**.

1. Микки страдал на даче. Он **был один**.

_____

_____

2. Когда Зина нашла Микки, он **почувствовал себя счастливым** и запрыгал.

_____

_____

3. Когда Микки потерялся и понял, что он без ошейника, он сел на дорогу и заплакал. Ему **было стыдно**.

_____

_____

4. Микки **обиделся на садовника** и поэтому готов посадить его в клетку.

_____

_____

5. Микки хотел прыгнуть в воду, как это делали люди. Фокс чуть не умер на мостике, **так ему было страшно.**

_____

_____

6. После фильма он долго не мог заснуть. Он всё ещё **волновался.**

_____

_____

7. Мы поговорили, потому что нам **было скучно.**

_____

_____

Слова для справок: счастье, обида, одиночество, страх, стыд, скука, волнение.

7. **Найдите в тексте и прочитайте объяснение слов** _факир_ **и** _антракт._ **Объясните следующие слова.**

Модель: Факир — **это человек, который** ... .

Антракт — **это когда** ... + субъект + предикат.

Кто?

1. Дрессировщик — это _____ .
2. Клоун — это _____ .
3. Эквилибрист — это _____ .
4. Садовник — это _____ .
5. Хозяйка собаки — это _____ .

Что?

1. Представление — это _____ .
2. Прогулка — это _____ .
3. Несчастье (трагедия) — это _____ .
4. Переезд — это _____ .
5. Туман — это _____ .

8. **Соедините две части высказывания.**

К нам приехал цирк,	и всем мешать.
Умный человек никогда не будет себя вести, как клоун,	а потому, что им за это дали кусочек мяса.
Львы согласились прыгнуть не из любви к искусству,	и Зинин папа купил нам билеты в ложу.
Пирамиду построить очень просто:	прекрасно отработала на арене.
В конце представления маленькая лошадка	внизу — папа и мама, а на плечах — дети.

9. Учимся пересказывать!

Найдите соответствия между отрывками из текста и их пересказом.

Помните, что при пересказе мы, как правило, не используем прямую речь!

Это мы прочитали.

Что мы узнали из текста?

Клоуны мне не понравились. Разве будет умный человек так себя вести и каждому мешать? Совсем не смешно. Мне понравилось только, что у одного клоуна сзади было нарисовано на брюках солнце, а волосы на голове сами сначала вставали, а потом падали!

①

Микки — очень большой фантазёр. Он придумал себе замечательную жизнь с Зиной. Надо, чтобы папа купил Зине маленькую лошадку. А когда Микки с Зиной будут на ней кататься, все будут их узнавать и давать Микки много сахару. Такая жизнь любому понравится!

Антракт — это когда одно отделение кончилось, а другое ещё не началось.
(...) Факир — это человек, который сам себя режет, и ему даже приятно, и кровь не идёт. А публика аплодирует.

②

Микки не всё нравится в цирке: он критически относится к тому, что видит. Он может объяснить, почему ему что-то нравится или не нравится. Когда волосы на голове клоуна сами встают, а потом падают, это ему нравится. А когда клоуны всем мешают, это ему не нравится, потому что умный человек так себя вести не будет.

Удивляюсь, почему Зинин папа не может купить ей такую лошадку. Мы бы катались вместе по пляжу. И все бы очень удивлялись, и я бы получал много сахару...
— Кто едет?
— Микки с Зиной!
— Чья лошадка?
— Микки с Зиной!

③

Микки постоянно думает и анализирует. Он первый раз в цирке, но он понял, что такое представление, арена и антракт. Кроме того, он первый раз в жизни видит людей новых для него профессий. Он сам для себя объясняет простыми словами, чем занимаются эти люди. И это очень понятные объяснения. Браво, Микки!

10. Проверьте, как вы поняли текст.

A) Отметьте, какие из следующих высказываний правильные.

1. а) Папа купил билеты в ложу на всю семью.
   б) Папа купил билеты в ложу для Зины и Микки.

2. а) В представлении было два отделения и антракт.
   б) В представлении было несколько антрактов и два отделения.

3. а) В пирамиде участвовали четыре человека, собачка и котёнок.
   б) В пирамиде участвовали собачка, котёнок и пять человек.

4. а) Публика считает, что факиру приятно, когда он сам себя режет.
   б) Микки кажется, что факиру приятно, когда он сам себя режет.

5. а) Фокс не понимает, почему папа не может купить Зине такую маленькую лошадку, как в цирке.
   б) Папа не может купить Зине такую маленькую лошадку, как в цирке.

Б) **Найдите окончание предложения.**

1. В цирке Микки не нравится ... .
   а) поведение клоунов
   б) солнце на брюках клоуна
   в) номер клоуна

2. По мнению Микки, львы в цирке работают ... .
   а) ради дрессировщицы
   б) для зрителей
   в) за мясо

3. Самые большие похвалы от Микки получил номер ... .
   а) клоуна
   б) эквилибристов
   в) дрессировщицы со львами

4. Зине больше всего в представлении понравилась ... .
   а) маленькая лошадка
   б) семья эквилибристов
   в) пирамида

5. После представления фокс побежал на пляж ... .
   а) кататься на лошадке
   б) строить пирамиду
   в) играть в цирк

В) Найдите в тексте информацию и напишите ответы на вопросы.

1. Кто не понравился Микки в цирке и почему?

_____

_____

2. Найдите в тексте и выпишите фразы, которые демонстрируют радость Микки, когда ему нравится номер.

_____

_____

3. Во что играли дети в антракте и почему?

_____

_____

4. Почему выступление лошадки привело Зину и Микки в восторг?

_____

_____

5. После представления Микки забыл о цирке или нет? Почему вы так думаете?

_____

_____

6. Кто вас в детстве водил в цирк? Какие номера в цирке нравились вам и почему?

_____

_____

11. **Напишите эссе на тему «Микки и цирк» (50—70 слов).**

_____

_____

_____

_____

_____

_____

_____

_____

_____

_____

_____

_____

_____

_____

Часть 8
НА ПАРОХО́ДЕ. ОПЯ́ТЬ В ПАРИ́ЖЕ

У при́стани стоя́л бе́лый парохо́д. Наверху́ — мо́стик для капита́на, внизу́ — каю́ты с кру́глыми око́шками и вода́. Из трубы́ идёт дым.

при́стань — pier
каю́та — cabin
труба́ — funnel, stack

Мы е́дем на прогу́лку. Я бою́сь. Зи́на берёт меня́ на́ руки и несёт на парохо́д. Сза́ди нас — па́па. Не могу́ поня́ть, почему́ им ма́ло ме́ста на земле́ и заче́м ката́ться на парохо́де.

Люде́й мно́го, они́ се́ли на скаме́йки и смо́трят на во́ду.

Наконе́ц мы пое́хали. Все ма́шут рука́ми и посыла́ют возду́шные поцелу́и. Како́е лицеме́рие: мы уезжа́ем то́лько на три часа́!

маха́ть (НСВ, *чем?* наст. вр.: машу́, ма́шешь) — to wave
лицеме́рие — hypocrisy

Вот мы уже́ в откры́том мо́ре. Во́лны, как бульдо́ги, хотя́т ка́ждого съесть. Они́ поднима́ются и опуска́ются. Пол то́же поднима́ется и опуска́ется. Шля́па на́шего сосе́да улете́ла в во́ду. Я закры́л глаза́ и ти́хо-ти́хо сказа́л: «Мо́ре! Золото́е моё мо́ре... Ну, переста́нь, ну, успоко́йся! Я никогда́ бо́льше

бульдо́г — bulldog

поднима́ться (НСВ) — to go up
опуска́ться (НСВ) — to go down

переста́ть (имп.: переста́нь!) — to stop

не пое́ду. Я ма́ленький фокс, за что́ ты на меня́ се́рдишься? Я никогда́ тебе́ ничего́ плохо́го не сде́лал». Коне́чно, я врал.

Меня́ тошни́ло. Я закры́л глаза́, стара́лся не дыша́ть и ждал конца́ прогу́лки.

Когда́ показа́лась земля́, твёрдая земля́ с дома́ми, соба́ками и пля́жами, я дал себе́ че́стное соба́чье сло́во, что никогда́ мое́й ла́пы на парохо́де бо́льше не бу́дет! Почему́ меня́ всегда́ беру́т с собо́й?

Как в ко́мнате ти́хо! Пол не поднима́ется и не опуска́ется, а лю́ди вокру́г не зелене́ют и не желте́ют. Бо́льше никаки́х прогу́лок!

***

Прие́хали. Я возврати́лся в Пари́ж. Все возврати́лись в Пари́ж.

Совсе́м отвы́к от ме́бели. Ах, как те́сно в кварти́ре!

Зи́на — в шко́ле, что́-то изуча́ет. На балко́не — кори́чневые ли́стья. К нам на балко́н прилета́ет оди́н воробе́й. Я ему́ бу́лочку дал, а он вокру́г моего́ но́са пры́гает и ест. Вчера́ от ску́ки мы с ним поболта́ли.

врать — to lie

тошни́ть (*кого?* Меня́ тошни́т. = I feel sick.)

каза́ться/показа́ться — to come in sight

отвыка́ть/отвы́кнуть (*от чего?*) — to lose the habit (of)
воробе́й — sparrow

78

— Ты где живёшь, птичка?

— Везде́.

— Ну как везде́? Ма́ма и па́па у тебя́ есть?

— Есть, то́лько они́ улете́ли куда́-то.

— Что же ты оди́н де́лаешь?

— Пры́гаю. Над па́рком лета́ю. На ве́тках сижу́. К тебе́ ве́тка — branch
прилете́л. Ты мне бу́лку дал. Хорошо́!

Тут он улете́л. Бо́же мой, почему́ я не уме́ю лета́ть? Бо́же мой ! — My God!

Спать хо́чется ужа́сно. Днём сплю, ве́чером сплю и но́чью...
то́же сплю. Зи́на говори́т, что у меня́ со́нная боле́знь. А ма́ма
говори́т, что у меня́ соба́чья ста́рость. А у меня́ про́сто тоска́. Не тоска́ — distress, melancholy
нужна́ мне ва́ша о́сень, и зима́, и кварти́ра с ме́белью.

Сего́дня на балко́н попа́л кусо́чек со́лнца: я на него́ лёг,
а оно́ ушло́. Как жаль. Пока́ не забы́л, на́до записа́ть вчера́шний пока́ не — until, till
сон: все мы, я и остально́е семе́йство, е́дем на юг, в Ка́нны, где семе́йство — family
тепло́ и нет зи́мнего Пари́жа...

***

Перелистáл страни́чки своегó дневникá. И вдруг подýмал: мóжет быть, его ктó-нибудь напечáтает? С мои́м портрéтом, конéчно.

И какáя-нибудь дéвочка сидéла бы у ками́на с моéй кни́жкой, читáла бы и улыбáлась. И в кáждом дóме, где есть мáленькие дéвочки, знáли бы моё и́мя.

До свидáния, тетрáдка, до свидáния, лéто, до свидáния, дéти — мáльчики и дéвочки! Стáвлю большýю-большýю тóчку.

Всеóбщий дéтский друг,
скрóмный фокс Ми́кки

перели́стывать/перелистáть (*что?*) — to glance through smth., to turn over pages

ЛЕКСИКО-ГРАММАТИЧЕСКИЕ УПРАЖНЕНИЯ

1. **А) Какие глаголы пропущены? Глаголы можно использовать несколько раз.**

> **подниматься /подняться** (*куда?*) — go up
>
> **опускаться /опуститься** (*куда?*) — sink, go down
>
> Сравните!
>
> • подниматься ≠ спускаться (по лестнице вниз или внутрь чего-либо)
>
>   *по чему?*   *во что?*
>
> • подниматься ≠ опускаться (вертикально вниз или на что-либо)
>
>   *на что?*

1. — Вы на совещание к директору? Это этажом ниже. Вам нужно _____ на третий этаж, в конференц-зал.

2. Чтобы увидеть коралловые рифы, в этом месте дайверы _____ на глубину 20—30 метров. Однако, чтобы увидеть самые красивые кораллы, нужно _____ ещё ниже.

3. _____ вниз по лестнице осторожно: прошёл дождь и можно поскользнуться.

4. Лодка _____ и _____ вместе с волнами: вверх — вниз, вверх — вниз. Так волны и несут её.

5. Следующее упражнение выполняем так: на счёт «раз-два» медленно _____ носочки, на счёт «три-четыре» так же медленно _____ на пятки.

6. Геологов, которые изучают пещеры, называют спелеологами. Раньше в пещеры _____ только мужчины, а теперь есть и женщины-спелеологи.

Б) Впишите пропущенные глаголы и раскройте скобки в предложениях.

> СВ, пр. вр.   СВ, пр. вр.
>
> **Привык** (*к чему?*) ≠ **Отвык** (*от чего?*)
>
> **Привыкать/привыкнуть // Отвыкать/отвыкнуть**

1. Студентам из жарких стран трудно _____ (наш холодный климат). Обычно они _____ два-три года, а иногда совсем не могут _____ .

2. Я долго не занимался спортом и совсем _____ (физические нагрузки).

3. Я прожил всё лето в деревне и абсолютно _____ (город).

4. Если у вас есть вредные привычки, _____ (они) придётся очень долго.

5. Микки думает, что можно _____ (всё), можно _____ даже _____ (одиночество) на даче, но невозможно _____ (морские прогулки и новая хозяйка) вместо Зины.

6. За месяц отпуска мой кот _____ (я), а собака — нет.

7. Учитель в школе так же _____ (его ученики), как ученики _____ (он).

2. Какое слово лишнее?

1) пристань, стоянка, остановка, пароход
2) неискренность, лицемерие, уважение, фальшь
3) тошнит, молчит, значит нездоровится
4) прекрати, перестань, кончай, успокойся
5) поговорили, поболтали, походили, поразговаривали

3. **А) Прочитайте объяснения слов из текста и напишите, какие это слова.**

1

какой? какая? какое?

море, когда не видно берега	море
посланный по воздуху поцелуй другому человеку	поцелуй
болезнь, когда всё время хочется спать	болезнь
увиденный вчера сон	сон
друг всем людям, общий друг	друг

2

что?

место у берега, где стоят корабли и пароходы	
самый главный человек на корабле	
черта характера: думает одно, а делает другое	
сильная грусть, печаль	

3

что делать? что сделать?

стать спокойным	
хватит, кончай (= не надо этого делать!)	
когда человека тошнит, цвет лица может становиться жёлтым или зелёным; мы говорим, что человек ...	или
говорить неправду	
вести лёгкий, непринуждённый разговор друг с другом	
просмотреть все страницы, одну за другой, не очень внимательно читая	странички
чувствовать раздражение, гнев или злость на кого-то	на кого-то

Б) Найдите в тексте эквиваленты выделенных слов и впишите их.

Почему они хотят кататься на пароходе по морю, **разве на земле мало интересных мест?**	Почему они хотят кататься на пароходе по морю,
Микки ждал, **когда окончится прогулка.**	Микки ждал
Никогда **больше не буду кататься на пароходе.**	1. Никогда 2. Больше
Как **мало места** в квартире!	Как в квартире!
Очень-очень хочется спать.	хочется спать.

4. **Повторите грамматику:**

А) вставьте предлоги, где это нужно. Обратите внимание, что на один и тот же вопрос можно ответить, используя разные предлоги.

ГДЕ?

_____ пристани

мало места _____ земле

кататься _____ пароходе

_____ открытом море

_____ балконе

(девочка) сидела бы _____ камина

ОТКУДА?

_____ трубы идёт дым

КУДА?

едем _____ прогулку

берёт меня _____ руки

несёт _____ пароход

сели _____ скамейки

смотрят _____ воду

(шляпа) улетела _____ воду

возвратился _____ Париж

(прилетел) _____ нам _____ балкон

КАКОЙ (-ая, -ие)?

мостик _____ капитана

каюты _____ круглыми окошками

(твёрдая) земля _____ домами и пляжами

Б) Найдите в тексте и выпишите наречия места.

_____ мостик для капитана

_____ нас идёт папа.

(прыгает) _____ моего носа

В) Напишите вопросы к выделенным словам.

уезжаем **на три часа** — уезжаем _____?

отвык **от мебели** — отвык _____?

5. **А) Познакомьтесь с конструкцией!**

род. пад. + тошнит, знобит	
МЕНЯ ТОШНИТ. **МЕНЯ ТОШНИЛО.** (I am feel sick.)	**МЕНЯ ЗНОБИТ.** **МЕНЯ ЗНОБИЛО.** (I am shivering.)

Б) Прочитайте следующие фразы. Напишите, что чувствует человек в этой ситуации и почему. Используйте конструкции *меня тошнит, меня знобит*.

Модель: Ребёнок переел, и у него неприятное чувство в животе.
Ребёнка **тошнит, потому что** он переел.

1. Наверно, сестра простудилась: **ей всё время холодно.**

_____

2. На улице минус двадцать, а брат ходил без шапки. Сейчас он в кровати под одеялом, **не может согреться и весь дрожит.**

_____

3. Микки находится на пароходе в открытом море. Пароход поднимается и опускается на волнах. **Микки укачивает,** он чувствует себя плохо.

_____

4. На прошлой неделе я ходил с температурой на работу. **Всё время чувствовал, что мне холодно.**

_____

5. Я думаю, что вчера я съел несвежую сосиску. **Болел живот, я чувствовал себя неважно.**

_____

6. На прошлой неделе у моей маленькой сестрёнки была высокая температура, **она дрожала,** и никакие одеяла не могли её согреть.

_____

6. **А) Познакомьтесь с конструкцией!**

дат. пад. + (не) нужен (-а, -о, -ы) + им. пад.	Мне (не) нужен зонт. (не) нужна книга. (не) нужны книги.	Ср. экспрес.: Не нужна мне ваша осень!

Б) Прочитайте следующие фразы. Напишите, что, кому и в какой ситуации не нужно.

1. Каждый из нас не любит сложности и проблемы в жизни.

_____

2. Если вы собираетесь в Антарктиду, не берите с собой купальник и зонтик.

_____

3. Зачем в Африке шуба, там и так тепло.

_____

4. Ты поступил некрасиво и неправильно, и я не хочу слушать твои объяснения.

_____

5. У меня уже есть пять пар обуви. Зачем мне шестая?

_____

6. Зачем Микки деньги? У него и так всё есть.

_____

7.   **А) Познакомьтесь с конструкцией!**

> пока не + глагол СВ
> **ПОКА НЕ ЗАБЫЛ,** надо записать свой сон.
>   запиши свой сон,
>   запишу свой сон

Б) Прочитайте следующие фразы. Напишите, что хочет или должен сделать субъект, пока не произошло нежелательное действие.

Модель: Я могу забыть, что обещал позвонить.
            Пока не забыл, надо позвонить.

1. Боюсь, что могу забыть взять эти документы с собой на работу.

_____

2. Я могу забыть, что после работы надо взять вещи из химчистки, лучше зайти туда прямо сейчас.

_____

3. Перестань есть печенье, ты можешь перебить себе аппетит.

_____

4. Давай перестанем говорить о политике, потому что мы можем поссориться.

_____

5. Идём быстрее домой, видишь, какие тучи, может пойти дождь.

_____

6. Последнее время я мало двигаюсь и боюсь поправиться. Надо походить в фитнес-клуб.

_____

8.   **Соедините две части высказывания.**

Чтобы Микки не боялся,	напечатают, и обязательно с его портретом.
В открытом море тошнило	потому что тот умеет летать.
Когда Микки приехал с Зиной в Париж,	Зина взяла его на руки и отнесла на пароход.
Микки завидует воробью,	не только маленького фокса, но и людей.
Фокс мечтает, что его книжку	пёс понял, что совсем отвык от городской квартиры.

9. Учимся пересказывать!
Найдите соответствия между отрывками из текста и их пересказом.
Помните, что при пересказе мы, как правило, используем прямую речь!

Это мы прочитали.

Что мы узнали из текста?

Волны, как бульдоги, хотят каждого съесть. (...) Я закрыл глаза и тихо-тихо сказал: «Море! Золотое моё море... Ну, перестань, ну, успокойся! Я никогда больше не поеду. Я маленький фокс, за что ты на меня сердишься? Я никогда тебе ничего плохого не сделал». Конечно, я врал.

①

Микки плохо переносит переезд назад, в Париж. У него в жизни опять чёрная полоса: в квартире ему тесно, от мебели отвык, дома сидит один, потому что его хозяйка в школе. Поиграть и поговорить не с кем. На улице — осень. Микки скучно. Единственный приятель, с которым можно поболтать, — это воробей.

Приехали. Я возвратился в Париж. Все возвратились в Париж. Совсем отвык от мебели. Ах, как тесно в квартире! Зина — в школе, что-то изучает. На балконе — коричневые листья. К нам на балкон прилетает один воробей. Я ему булочку дал, а он вокруг моего носа прыгает и ест. Вчера от скуки мы с ним поболтали.

②

Взрослые не понимают фокса. У него не только старость, у него ещё и тоска. Он чувствует, что ему ничего не нужно в этом мире. Особенно ему не нужна зима. Микки грустит, потому что когда он лёг на балконе на кусочек солнца, а оно от него ушло. Он всё время думает об одном и том же: о лете, о тепле и о пляже на юге. Его сны о том же самом: вся семья едет на юг, в Канны, где тепло и нет зимы...

Мама говорит, что у меня собачья старость. А у меня просто тоска. Не нужна мне ваша осень, и зима, и квартира с мебелью. Сегодня на балкон попал кусочек солнца: я на него лёг, а оно ушло. Как жаль. Пока не забыл, надо записать вчерашний сон: все мы, я и остальное семейство, едем на юг, в Канны, где тепло и нет зимнего Парижа...

③

Микки очень боится. На море волнение, и Микки страшно. Волны ему кажутся бульдогами, которые способны его съесть. Он чувствует себя несчастным и маленьким. В такой ситуации мы всегда обращаемся к кому-то большому и сильному, чтобы он нам помог. Микки так и делает: он обращается к морю, он называет его золотым и просит его успокоиться. Он объясняет, что он ничего плохого ему не делал, и даже чуть-чуть врёт. Микки ужасно боится и очень хочет задобрить море!

10. Проверьте, как вы поняли текст.

А) Отметьте, какие из следующих высказываний правильные.

1. а) Микки не может понять, зачем людям белый пароход.
   б) Микки не может понять, зачем людям кататься на пароходе.

2. а) Фокс считает, что посылать воздушные поцелуи — это лицемерие.
   б) Фокс считает, что воздушные поцелуи, если уезжаешь на три часа, — это лицемерие.

3. а) Пол на пароходе поднимается и опускается, потому что в открытом море большие волны.
   б) Пол на пароходе поднимается и опускается, потому что волны похожи на бульдогов.

4. а) Микки дал честное собачье слово, что никогда его ноги на пароходе не будет.
   б) Микки дал честное собачье слово, что никогда его лапы на пароходе не будет.

5. а) Микки отвык от морских прогулок и от пароходов.
   б) Фокс отвык от жизни в городе и от одиночества.

6. а) У Микки тоска: он тоскует по лету, по солнцу и по югу.
   б) Микки тоскует по маленьким читателям, которые будут знать его имя.

Б) Найдите оцончание предложения.

1. Папа, Зина и Микки поехали ... .
   а) на берег моря
   б) на пристань погулять
   в) кататься на белом пароходе

2. Большие волны испугали Микки, поэтому ... .
   а) он попросил взять его на руки
   б) он сел на скамейку и смотрел на море
   в) он закрыл глаза и старался не дышать

3. Фокс был счастлив, когда ... .
   а) показалась твёрдая земля
   б) поговорил с морем
   в) шляпа соседа улетела в море

4. Микки одиноко в квартире, поэтому он ... .
   а) думает о Зине
   б) болтает с воробьём
   в) ужасно хочет спать

5. У Микки тоска по ... .
   а) свободной жизни
   б) белому пароходу
   в) лету и солнцу

6. Микки хочет напечатать свой дневник, чтобы … .

    а) у него прошла тоска

    б) дети читали книжку и улыбались

    в) все поняли, что собаки умеют думать

В) Найдите в тексте информацию и напишите ответы на вопросы.

1. Почему Микки с самого начала не понравилась идея поехать на прогулку на пароходе?

_____

_____

2. Что делают люди на корабле? (Выпишите только глаголы с зависимыми словами.)

_____

_____

3. О чём Микки хочет договориться с морем?

_____

_____

4. Что Микки сделал для того, чтобы его не тошнило?

_____

_____

5. Что происходило с людьми во время волнения на море?

_____

_____

6. В какой момент Микки пообещал себе никогда больше не кататься на пароходе?

_____

_____

7. С кем Микки проводит время, когда Зина в школе?

_____

_____

8. Где живёт воробей? Чем он занимается в жизни? (Выпишите только глаголы.)

_____

_____

9. Какое у Микки настроение и почему? Какие сны он видит?

_____

_____

10. Почему фокс хочет, чтобы его дневник напечатали?

_____

_____

11. Напишите эссе на тему «Микки и цирк» (50—70 слов).

УПРАЖНЕНИЯ НА ПЕРЕВОД

ЧАСТЬ 1

1. **А) Прочитайте следующие предложения.**

1. Было бы прекрасно, если бы на Земле не было голода, войн и болезней!
2. Было бы чудесно, если бы люди всегда понимали друг друга!
3. Было бы замечательно, если бы на Рождество пошёл снег!
4. Было бы здорово, если бы тебе удалось приехать на мой день рождения!
5. Было бы разумно, если бы ты продолжил учиться после школы.
6. Было бы скучно, если бы за окном всегда было лето.
7. Было бы неинтересно жить, если бы люди знали своё будущее.
8. Было бы неправильно, если бы взрослые всё решали за своих детей.
9. Было бы ужасно, если бы люди читали мысли друг друга.
10. Было бы скучно, если бы все люди думали одинаково.

Б) Переведите эти предложения на родной язык.

1. _____
2. _____
3. _____
4. _____
5. _____
6. _____
7. _____
8. _____
9. _____
10. _____

В) Переведите с родного языка на русский. Проверьте себя по оригиналу.

1. _____
2. _____
3. _____
4. _____
5. _____
6. _____
7. _____
8. _____
9. _____
10. _____

2. **А) Прочитайте следующие предложения.**

1. Было бы скучно жить, если бы люди не менялись.

2. Я хотел побыть один на даче несколько месяцев. Там было бы чудесно, если бы ко мне не приехали родственники на все лето.

3. В детстве моего брата заставляли играть на скрипке, а он не хотел заниматься музыкой. Было бы странно, если бы он потом не бросил скрипку.

4. Артисты играли средне. Было бы скучно смотреть этот спектакль, если бы не звучала чудесная музыка Гершвина.

5. Было бы обидно, если бы никто не приехал на вокзал меня встречать.

6. Было бы ужасно, если бы люди не читали! Было бы ещё ужаснее, если бы люди не умели читать!

7. Мы бы никогда не узнали о Микки, если бы Саша Чёрный не написал эту повесть.

8. Микки не смог бы понять, как сильно он любит свою хозяйку Зину, если бы не потерялся.

9. Дети не любили бы так фокса, если бы он не играл с ними.

10. Микки не тошнило бы, если бы его не взяли кататься на пароходе.

Б) Переведите эти предложения на родной язык.

1. _____
2. _____
3. _____
4. _____
5. _____
6. _____
7. _____
8. _____
9. _____
10. _____

В) Переведите с родного языка на русский. Проверьте себя по оригиналу.

1. _____
2. _____
3. _____
4. _____
5. _____
6. _____
7. _____
8. _____
9. _____
10. _____

3. **А) Прочитайте следующие предложения.**

1. Самое главное в жизни — уметь радоваться и не жаловаться, когда трудно.

2. В незнакомой компании самое главное — не стесняться и не бояться глупо выглядеть.

3. В умении одеваться самое важное — найти свой стиль.

4. Для Микки самое главное — быть рядом со своей хозяйкой.

5. Тебя обидел твой лучший друг. Ты хочешь его простить и не можешь. Все знают, что уметь прощать — самое трудное.

6. Моя бабушка относится к своим внукам очень строго, но мы всегда всё рассказываем ей. Она умеет слушать других — это самое главное.

7. За лето дети отвыкают от школы. Но они хотят учиться — это самое важное.

8. Конечно, Микки всех критикует. Но он умеет дружить — это самое главное.

Б) Переведите эти предложения на родной язык.

1. _____

2. _____

3. _____

4. _____

5. _____

6. _____

7. _____

8. _____

В) Переведите с родного языка на русский. Проверьте себя по оригиналу.

1. _____

2. _____

3. _____

4. _____

5. _____

6. _____

7. _____

8. _____

4. **А) Прочитайте следующие предложения.**

1. В трудной ситуации важнее всего не паниковать, а подумать, что можно сделать.
2. Для Микки важнее всего опубликовать свой дневник и стать знаменитым.
3. Для фокса ужаснее всего остаться без ошейника.
4. Фокс понимает, что драться — это некрасиво. Но глупее всего драться с ежом.
5. Скучнее всего для детей сидеть и ничего не делать.
6. Для каждого человека ужаснее всего заниматься неинтересным делом.
7. Во время болезни разумнее всего оставаться дома и лечиться.
8. В день рождения приятнее всего получать подарки и поздравления.

Б) Переведите эти предложения на родной язык.

1. _____
2. _____
3. _____
4. _____
5. _____
6. _____
7. _____
8. _____

В) Переведите с родного языка на русский. Проверьте себя по оригиналу.

1. _____
2. _____
3. _____
4. _____
5. _____
6. _____
7. _____
8. _____

ЧАСТЬ 2

I. **А) Прочитайте следующие предложения.**

1. Когда Микки заблудился, он очень хотел, чтобы Зина поскорее нашла его.
2. Лили хотела, чтобы Микки поскорее привык к ней и её семье.
3. Папа Лили не хотел, чтобы фокс оставался на вилле.
4. Зина попросила папу, чтобы он купил билеты в цирк для Микки и для неё.
5. Зина не хотела, чтобы Микки поправился из-за сладкого.
6. Микки не хотел, чтобы пол на пароходе поднимался и опускался. Он попросил море, чтобы оно успокоилось и не пугало его.
7. Микки мечтал, чтобы всегда было лето и солнце.
8. Микки хочет, чтобы Зина и Лили подружились.
9. Микки не хочет, чтобы зверей сажали в клетку и они страдали.
10. Микки стал быстро уставать и много спать. Зина не хочет, чтобы Микки старел.

Б) Переведите эти предложения на родной язык.

1. _____
2. _____
3. _____
4. _____
5. _____
6. _____
7. _____
8. _____
9. _____
10. _____

В) Переведите с родного языка на русский. Проверьте себя по оригиналу.

1. _____
2. _____
3. _____
4. _____
5. _____
6. _____
7. _____
8. _____
9. _____
10. _____

2. **А) Прочитайте следующие предложения.**

1. Дети съели много шоколада. Теперь от них пахнет шоколадом.

2. Мыши живут под диваном, а там пыльно. Неудивительно, что мыши пахнут пылью.

3. Все пахнут по-разному: ёж пахнет лесом, кошка пахнет молоком, а фокс пахнет котлетками.

4. В парфюмерном магазине пахнет духами и дорогой косметикой.

5. В аптеках и в больницах пахнет лекарствами.

6. Кошка испугалась. Она почувствовала, что в доме пахнет собакой.

7. Я люблю, когда весной в городских парках пахнет сиренью.

8. Не пойму, чем здесь пахнет, но запах приятный.

Б) Переведите эти предложения на родной язык.

1. _____

2. _____

3. _____

4. _____

5. _____

6. _____

7. _____

8. _____

В) Переведите с родного языка на русский. Проверьте себя по оригиналу.

1. _____

2. _____

3. _____

4. _____

5. _____

6. _____

7. _____

8. _____

ЧАСТЬ 3

I. **А) Прочитайте следующие предложения.**

1. Брат забыл поздравить Анну с днем рождения. Она обижена на него.

2. Джон не смог сдать экзамен. Весь день он расстроен и не может ничем заняться.

3. — Почему ты не позвонил маме, как обещал? Сейчас не ходи к ней, она очень рассержена. Извинишься потом.

4. Родители были очень удивлены вчера, когда узнали, что я хочу бросить журналистику и поступить в медицинский институт.

5. Клоун очень взволнован, потому что ему предложили выступить со своим номером в цирке «Дю Солей».

Б) Переведите эти предложения на родной язык.

1. _____
2. _____
3. _____
4. _____
5. _____

В) Переведите с родного языка на русский. Проверьте себя по оригиналу.

1. _____
2. _____
3. _____
4. _____
5. _____

2. **А) Прочитайте следующие предложения.**

1. Микки расстроен, потому что его оставили на даче одного. Он записал в своём дневнике: «Пусть Зина заберёт меня отсюда! Пусть она меня помоет! Пусть даст мне поесть!»

2. Лили попросила маму взять Микки: «Пусть собачка живет у нас!»

3. Осенью Микки начинает мечтать: «Пусть вернётся лето и тепло! Пусть никогда не будет осени!»

4. Микки немножко обиделся на новых хозяев: «Пусть не называют меня Фифи!»

5. Микки хочет изменить жизнь людей. Вот что он пишет в своём дневнике: «Пусть люди делают всё, как собаки! Тогда мир станет лучше!»

Б) Переведите эти предложения на родной язык.

1. _____

2. _____

3. _____

4. _____

5. _____

В) Переведите с родного языка на русский. Проверьте себя по оригиналу.

1. _____

2. _____

3. _____

4. _____

5. _____

3. **А) Прочитайте следующие предложения.**

1. Не понимаю, зачем людям купаться в купальных костюмах.
2. Невозможно понять, зачем сажать зверей в клетки.
3. Не понимаю людей. Зачем варить и жарить, когда можно есть сырое мясо?
4. Не понимаю корову. Зачем давать столько молока, если у неё только один телёнок?
5. Никогда не пойму мышей. Зачем мышам грызть мой дневник?
6. Трудно понять людей. Зачем им кататься на пароходе?
7. Зачем ездить в горы, если можно отдохнуть на море?

Б) Переведите эти предложения на родной язык.

1. _____
2. _____
3. _____
4. _____
5. _____
6. _____
7. _____

В) Переведите с родного языка на русский. Проверьте себя по оригиналу.

1. _____
2. _____
3. _____
4. _____
5. _____
6. _____
7. _____

ЧАСТЬ 4

1. **А) Прочитайте следующие предложения.**

1. Нужно относиться ко всем людям так, как ты относишься к самому себе.

2. Микки не очень хорошо относится к ежу, тигру, змее и папе Лили.

3. Микки очень плохо относится к садовнику, потому что тот его не кормит.

4. Разве можно хорошо относиться к обезьянам, если они смеются над тобой?

5. Микки сдержанно относится к клоунам, потому что они всем мешают. Кроме того, ему надоело смотреть их номер.

6. Микки философски относится к жизни и критически — к людям и их привычкам.

7. Дети доверчиво относятся к фоксу, даже самые маленькие.

8. Фокс — очень доброжелательная собака: он хорошо относится и к детям, и к взрослым.

Б) Переведите эти предложения на родной язык.

1. _____
2. _____
3. _____
4. _____
5. _____
6. _____
7. _____
8. _____

В) Переведите с родного языка на русский. Проверьте себя по оригиналу.

1. _____
2. _____
3. _____
4. _____
5. _____
6. _____
7. _____
8. _____

2. **А) Прочитайте следующие предложения.**

1. Как ты думаешь, что маме подарить на день рождения?
2. Не расслышал, что тебе передать, салат или рыбу?
3. Папа придёт с работы голодный. Что ему приготовить на ужин?
4. Я сейчас еду за продуктами. Что тебе купить в магазине?
5. Что тебе привезти из Лондона, кроме чая?
6. Я вижу, ты замёрз. Тебе принести плед?
7. — Дедушка хочет чаю.
   — Какой чай ему заварить, чёрный или зелёный?
8. Что тебе поставить, Баха или Шопена?

Б) Переведите эти предложения на родной язык.

1. _____
2. _____
3. _____
4. _____
5. _____
6. _____
7. _____
8. _____

В) Переведите с родного языка на русский. Проверьте себя по оригиналу.

1. _____
2. _____
3. _____
4. _____
5. _____
6. _____
7. _____
8. _____

ЧАСТЬ 5

1. **А) Прочитайте следующие предложения.**

1. Дети проголодались. Пора садиться обедать!

2. Ты уже в десятом классе. Пора думать о будущей специальности!

3. Мы можем опоздать на поезд. Пора заказывать такси!

4. Пора переодеваться! Через час мы должны быть в театре.

5. Пора поворачивать направо! Через двести метров будет дорога на Рим.

6. Пришла весна. Пора влюбляться!

7. Сергей поступил в университет и начал жить отдельно от родителей. Пора отвыкать от маминых обедов!

8. Такси уже ждёт. Пора спускаться вниз!

Б) Переведите эти предложения на родной язык.

1. _____

2. _____

3. _____

4. _____

5. _____

6. _____

7. _____

8. _____

В) Переведите с родного языка на русский. Проверьте себя по оригиналу.

1. _____

2. _____

3. _____

4. _____

5. _____

6. _____

7. _____

8. _____

2. **А) Прочитайте следующие предложения.**

1. Пока мужчины прыгали с мостика в воду, Микки волновался, что они утонут.

2. Пока Зина искала Микки, он жил в семье Лили.

3. Зина нашла Микки, и Лили расстроилась. Пока Зина утешала Лили, фокс понял, что девочки подружатся.

4. Пока Микки отдыхал на море, он отвык от городской квартиры.

5. Пока Микки с Зиной были в зоопарке, папа занимался делами.

6. Пока Зина училась в школе, Микки сидел дома совсем один и от скуки болтал с воробьём.

7. Пока артисты цирка отдыхали во время антракта, дети играли с фоксом на арене.

8. Пока Микки наслаждался жизнью на курорте, болонка Фифи ждала от него письма.

Б) Переведите эти предложения на родной язык.

1. _____
2. _____
3. _____
4. _____
5. _____
6. _____
7. _____
8. _____

В) Переведите с родного языка на русский. Проверьте себя по оригиналу.

1. _____
2. _____
3. _____
4. _____
5. _____
6. _____
7. _____
8. _____

3. А) *Прочитайте следующие предложения.*

1. Чтобы не потеряться, фоксу нужен ошейник с адресом.

2. Чтобы записывать свои умные мысли в дневник, фоксу нужны карандаш и тетрадка.

3. Чтобы подраться с ежом, нужен ёж.

4. Чтобы не замёрзнуть, нужны тёплые носки.

5. Чтобы много знать, нужно много и серьёзно учиться.

6. Чтобы подружиться с детьми, нужно вытаскивать кораблики и лаять на воду. Так думает Микки.

7. Чтобы издать свой дневник, нужно сначала написать его.

8. Чтобы переехать с дачи в город, нужно собрать вещи и заказать грузовик.

Б) **Переведите эти предложения на родной язык.**

1. _____

2. _____

3. _____

4. _____

5. _____

6. _____

7. _____

8. _____

В) **Переведите с родного языка на русский. Проверьте себя по оригиналу.**

1. _____

2. _____

3. _____

4. _____

5. _____

6. _____

7. _____

8. _____

ЧАСТЬ 6

1. А) Прочитайте следующие предложения.

1. Если не обращать внимания на Микки, он обидится.
2. Если построить кинотеатры для собак, собаки будут ходить в кино каждую неделю.
3. Если Микки будет писать сценарии фильмов, они будут только о собаках.
4. Если дети будут кормить Микки шоколадом, у него будет болеть живот.
5. Если Микки будет слишком много есть, он быстро поправится.
6. Если дети проголодаются, мама сварит бульон и поджарит яичницу.
7. Если у родителей отпуск будет летом, мы проведём его вместе на море.
8. Если на улице температура минус двадцать, ты замёрзнешь без шапки.
9. Если ты хорошо сдашь выпускные экзамены, ты легко сможешь поступить в Гарвард.

Б) Переведите эти предложения на родной язык.

1. _____
2. _____
3. _____
4. _____
5. _____
6. _____
7. _____
8. _____
9. _____

В) Переведите с родного языка на русский. Проверьте себя по оригиналу.

1. _____
2. _____
3. _____
4. _____
5. _____
6. _____
7. _____
8. _____
9. _____

ЧАСТЬ 7

1. **А) Прочитайте следующие предложения.**

1. У нас билеты в ложу около сцены. Будет всё хорошо видно и слышно.

2. На концерте мы сидели очень далеко от сцены. Было хорошо видно, но плохо слышно.

3. Пожалуйста, не бери больше билеты на балкон, там не слышно, что говорят актёры.

4. Передо мной, в третьем ряду, сидел очень высокий мужчина. Мне вообще ничего не было видно, и я пересела.

5. Преподаватель говорит громко, чтобы его было слышно в последних рядах.

6. Мы можем поменяться местами, если тебе плохо видно.

7. Это современный зал, с хорошей акустикой, там слышно оркестр с любого места.

Б) Переведите эти предложения на родной язык.

1. _____

2. _____

3. _____

4. _____

5. _____

6. _____

7. _____

В) Переведите с родного языка на русский. Проверьте себя по оригиналу.

1. _____

2. _____

3. _____

4. _____

5. _____

6. _____

7. _____

2. **А) Прочитайте следующие предложения.**

1. Зина пообещала фоксу больше не оставлять его одного на даче, и он запрыгал от радости.

2. Микки не хватило смелости прыгнуть с мостика в воду, и он заплакал от стыда, когда остался один.

3. Весь берег любовался фоксом, и он был счастлив от такого внимания.

4. У меня много дел, но я не могу сейчас ничего делать, потому что у меня болит голова от усталости.

5. На сцене ребёнок забыл слова песни от волнения.

6. В день окончания университета родители подарили сыну ключи от машины. От радости и волнения он в первый момент он не знал, что сказать.

7. Незнакомый молодой человек пригласил на танец девушку Джона. Он побледнел от ревности, но сделал вид, что всё в порядке.

Б) Переведите эти предложения на родной язык.

1. _____

2. _____

3. _____

4. _____

5. _____

6. _____

7. _____

В) Переведите с родного языка на русский. Проверьте себя по оригиналу.

1. _____

2. _____

3. _____

4. _____

5. _____

6. _____

7. _____

3. **А) Прочитайте следующие предложения.**

1. Садовник — это человек, который работает в саду и ухаживает за деревьями и цветами.

2. Директор — это человек, который управляет компанией.

3. Друг — это человек, который никогда не оставит в беде.

4. Покупатель — это человек, который покупает продукты, одежду, книги.

5. Театральное представление — это когда актёры играют на сцене пьесу.

6. Отпуск — это когда люди не ходят на работу, а отдыхают или на курорте, на море, или в деревне, на природе, или путешествуют.

7. Приём гостей — это когда сначала готовят много еды, красиво накрывают на стол, а потом все вместе едят и общаются друг с другом.

8. Одиночество — это когда у человека нет друзей и он один. Собачье одиночество — это когда собаку оставили одну дома.

Б) Переведите эти предложения на родной язык.

1. _____
2. _____
3. _____
4. _____
5. _____
6. _____
7. _____
8. _____

В) Переведите с родного языка на русский. Проверьте себя по оригиналу.

1. _____
2. _____
3. _____
4. _____
5. _____
6. _____
7. _____
8. _____

ЧАСТЬ 8

I. **А) Прочитайте следующие предложения.**

1. Некоторые люди не могут плавать на пароходах: они плохо себя чувствуют, и их тошнит.

2. Если вас тошнит в самолёте, нужно принять лекарство.

3. Если вам нездоровится, если вас знобит, обратитесь к врачу или вызовите врача на дом.

4. Если человек замёрз и простудился, его знобит. Иногда человека знобит от усталости.

5. Если вас знобит, нужно принять таблетку аспирина и лечь в постель.

6. Меня вчера тошнило. Наверное, съел что-то несвежее в буфете.

7. Мне вчера нездоровилось, и я отключила телефон.

8. Вам нездоровится сегодня? Может быть, лучше пойти домой?

Б) Переведите эти предложения на родной язык.

1. _____
2. _____
3. _____
4. _____
5. _____
6. _____
7. _____
8. _____

В) Переведите с родного языка на русский. Проверьте себя по оригиналу.

1. _____
2. _____
3. _____
4. _____
5. _____
6. _____
7. _____
8. _____

2. **А) Прочитайте следующие предложения.**

1. Людям вообще не нужны купальники!

2. Зине не нужна профессия! Ей не нужна работа! Ей нужны только книжки и прогулки со мной! Ей нужна моя дружба!

3. Всем животным в зоопарке нужна свобода и не нужны клетки!

4. В лесу не нужны деньги. В лесу нужно хорошее настроение и корзина для грибов.

5. Людям не нужны ошейники, потому что они знают свой адрес.

6. Собаке не нужен телефон: она не умеет разговаривать.

Б) Переведите эти предложения на родной язык.

1. _____

2. _____

3. _____

4. _____

5. _____

6. _____

В) Переведите с родного языка на русский. Проверьте себя по оригиналу.

1. _____

2. _____

3. _____

4. _____

5. _____

6. _____

3. А) *Прочитайте следующие предложения.*

1. Микки страдал в доме Лили, пока его не нашла Зина и не взяла домой.

2. Фокс не понимал, что такое цирк, пока сам не увидел представление.

3. Не пойду спать, пока не дочитаю книгу до конца.

4. Пока не пойму это правило, не смогу решить задачу.

5. Пока молодому человеку не исполнится двадцать один год, он не может покупать, заказывать и пить алкоголь в общественных местах.

6. Футбольная команда участвовала в соревнованиях, пока не проиграла сильному сопернику.

7. Нельзя водить машину, пока не выучишь правила дорожного движения.

8. — Ты пойдёшь вечером на новый фильм?

— Не знаю. У меня завтра поезд. Пока не соберу вещи, никуда не пойду.

Б) Переведите эти предложения на родной язык.

1. _____
2. _____
3. _____
4. _____
5. _____
6. _____
7. _____
8. _____

В) Переведите с родного языка на русский. Проверьте себя по оригиналу.

1. _____
2. _____
3. _____
4. _____
5. _____
6. _____
7. _____
8. _____

СОДЕРЖАНИЕ

www.zlat.spb.ru

КНИГИ ИЗДАТЕЛЬСТВА «ЗЛАТОУСТ» ПРОДАЮТСЯ:

ДАЛЬНЕЕ ЗАРУБЕЖЬЕ

OUR BOOKS ARE AVAILABLE IN THE FOLLOWING BOOKSTORES:

Australia: **Language International Bookshop** (Hawthorn), tel.: +3 98 19 09 00, fax: +3 98 19 00 32, www.languageint.com.au, info@languageint.com.au

Austria: **OBV Handelsgesellschaft mbH** (Wien), tel.: +43 1 930 77/227, www.buchservice.at, office@buchservice.at

Belgium: **Post Viadrina** (Gent), tel./fax: +9 233 50 03, www.postviadrina.be, postviadrina@postviadrina.be

Brazil: **SBS - Special Book Services** (Sao Paulo), tel.: +55 11 22 38 44 77, fax: +55 11 22 56 71 51, www.sbs.com.br, sbs@sbs.com.br

Croatia, Bosnia: **Sputnik d.o.o.** (Zagreb), tel//fax: +3851 370 29 62, www.sputnik-jezici.hr, info@sputnik-jezici.hr

Czech Republik: **Mega Books International** (Praha), tel.: + 420 272 123 19 01 93, fax: +420 272 12 31 94, www.megabooks.cinfo@megabooks.cz

Styria, s.r.o. (Brno), tel./fax: +420 5 549 211 476, www.styria.cz, styria@styria.cz

Cyprus: **Agrotis Import-Export Agencies** (Nicosia), tel.: +357 22 31 477/2, fax: +357 22 31 42 83, agrotisr@cytanet.com.cy

Estonia: **AS Dialoog** (Tartu, Tallinn, Narva), tel./fax: +372 7 30 40 94, www.dialoog.ee, info@dialoog.ee, www.exlibris.ee

Tartu: +372 730 40 93, tartu@dialoog.ee; **Tallinn:** +372 662 08 88, tallinn@dialoog.ee;

Narva: +372 356 04 94, narva@dialoog.ee

Finland: **Ruslania Books OY** (Helsinki), tel.: +3589 27 27 07 27, fax +3589 27 27 07 20, www.ruslania.com, books@ruslania.com

France: **SEDR** (Paris), tel.: +33 1 45 43 51 76, fax: +33 1 45 43 51 23, www.sedr.fr, info@sedr.fr

Librairie du Globe (Paris), tel. +33 1 42 77 36 36, www.librairieduglobe.com

Germany: **Esterum** (Frankfurt am Main), tel.: +49 69 40 35 46 40, fax: +49 69 4909621, www.esterum.com, Lm@esterum.com

Kubon & Sagner (Munich), tel.: +89 54 21 81 10, fax: +89 54 21 82 18, www.kubon-sagner.de, postmaster@kubon-sagner.de

Buchhandlung "RUSSISCHE BÜCHER" (Berlin), tel.: +49 3 03 23 48 15, fax +49 33 20 98 03 80, www.gelikon.de, knigi@gelikon.de

Greece: **Арбат** (Athens), tel./fax: +30 210 957 34 00, +30 210 957 34 80, www.arbat.gr, arbat@arbat.gr

Арбат (Athens), tel./fax: +32 105 20 38 95, +32 117 25 20 77, www.arbatbooks.gr, info@arbatbooks.gr

Avrora (Saloniki), tel.: +30 2310 233951, www.avrora.gr, info@avrora.gr

Holland: Pegasus (Amsterdam), tel.: +31 20 623 11 38, fax: +31 20 620 34 78, www.pegasusboek.nl, pegasus@pegasusboek.nl

Italy: **Kniga di Doudar Lioubov** (Milan), tel.: +39 02 90 96 83 63, +39 338 825 77 17, kniga.m@tiscali.it

Globo Libri (Genova), tel./fax: +39 010 835 27 13, www.globolibri.it, info@globolibri.it

il Punto Editoriale s.a.s. (Roma), tel./fax: + 39 66795805, ilpuntoeditorialeroma@tin.it

Japan: **Nauka Japan LLC** (Tokyo), tel.: +81 3 32 19 01 55, fax: +81 3 32 19 01 58, www.naukajapan.jp, murakami@naukajapan.jp

Latvia, Lithuania: **Izglitibas Centrs Durbe** (Riga), tel.: +371 784 44 45, fax: +371 784 44 98, www.durbe.edu.lv, nora@durbeture.lv

Poland: **MPX Jacek Pasiewicz** (Warszawa), tel.: +48 22 813 46 14, mobile: +48 0 600 00 84 66, www. knigi.pl, jacek@knigi.pl

Serbia: **Bakniga** (Belgrade), tel. +381 658 23 29 04, +381 11 264 21 78

Slovenia: **Exclusive distributor: Ruski Ekspres d.o.o.** (Ljubljana), tel.: +386 1 546 54 56, fax: +386 1 546 54 57, mob +386 31 662 073, www.ruski-ekspres.com, info@ruski-ekspres.com

Spain: **Alibri Llibreria** (Barcelona), tel.: +34 93 317 05 78, fax: +34 93 412 27 02, www.books-world.com, info@alibri.es

Dismar Libros (Barcelona), tel/fax +34 93 329 89 52, dismar@eresmas.net

Arcobaleno 2000 SI (Madrid), tel.: +34 91 407 98 45, fax: +34 91 407 56 82, www.arcobaleno.es, info@arcobaleno.es

Skazka (Valencia), tel.: +34 676 406261, +34 963 419246, www.skazkspain.com, skazkaspain@yandex.ru

Switzerland: **Pinkrus Gmbh** (Zurich), tel.: +41 1 262 22 66, fax: +41 1 262 24 34, www.pinkrus.ch, juhu@pinkrus.ch

Dom Knigi (Geneve), tel.: +41 22 733 95 12, fax: +41 22 740 15 30, www. domknigi.ch, info@domknigi.ch

Turkey: **Yab-Yay** (Istanbul), tel.: +90 212 258 39 13, fax: +90 212 259 88 63, yabyay@isbank.net.tr, info@yabyay.com, www.yabyay.com

United Kingdom: **European Schoolbooks Limited** (Cheltenham), tel.: +44 1242 22 42 52, fax: +44 1242 22 41 37, www.eurobooks.co.uk, whouse2@esb.co.uk

Grant & Cutler Ltd (London), tel.: +44 020 70 20, 77 34 20 12, fax: +44 020 77 34 92 72, www.grantandcutler.com, enquiries@grantandcutler.com

USA, Canada: **Exclusive distributor Russia Online** (Kensington md), tel.: +1 301 933 06 07, fax: +1 240 363 05 98, www.russia-on-line.com, books@russia-on-line.com